Antigua China

Una guía fascinante sobre la historia antigua de China y la civilización china desde la dinastía Shang hasta la caída de la dinastía Han

Índice

Introducción

China es hoy un país de muchas controversias. Su industria está en auge, pero se desarrolla en un estado socialista. El partido comunista es el gobernante indiscutible de toda la nación, con muchas características *orwellianas* en su dictadura. Incluso la sociedad china parece ser de naturaleza colectivista. Con la economía centralizada, un ejército popular fuerte y una clara ideología de izquierdas, China es hoy sin duda un país comunista que, a diferencia de la mayoría de sus predecesores, parece estar funcionando y ha llegado hasta aquí para quedarse. Pero a pesar de todo eso, existe un parecido entre esta moderna República popular y la China imperial del pasado, ya que la misma sangre del dragón rojo fluye por sus venas. Y aunque la ideología ha cambiado sustancialmente, parece que la filosofía subyacente sigue siendo la misma. Por lo tanto, para entender la China actual, su política, sociedad y cultura en general, tenemos que volver a los comienzos de la civilización china.

Fue durante este período temprano cuando el pueblo chino pasó de ser una potencia local, a convertirse en uno de los estados más importantes del mundo. Desarrolló sus propias visiones del mundo, su filosofía de la vida y su política, y creó una civilización que duraría milenios. No importa cuántas décadas hayan pasado, y las influencias que llegaron a lo largo del tiempo, estas raíces permanecen profundamente incrustadas en la sociedad china. El mejor ejemplo de esto son los pensamientos de Confucio, así como los escritos de Sun Tzu, ambos surgidos durante el período de la antigua China; estas dos personalidades son probablemente los chinos más conocidos en el mundo, rivalizado solo con el infame presidente Mao. Pero incluso si usted no tiene curiosidad por entender cómo China llegó a ser la potencia que es hoy, usted debe estar interesado en la historia china, ya que algunos de los mayores logros del mundo en ciencia, tecnología, filosofía y arte provienen de su civilización. Su contribución al patrimonio cultural de la humanidad es enorme; incluso se puede argumentar que es la más importante. Sin embargo, debido a malentendidos y el clima político actual, el mundo occidental a menudo lo pasa por alto. Y eso es un error que no se debe cometer.

Esta guía es un buen primer paso para evitar ese error. Este libro le guiará en un viaje a través de casi 2.000 años de historia china, mostrándole los altibajos de aquellos tiempos antiguos, los sufrimientos y las alegrías del pueblo chino, junto con sus mayores logros y fracasos. Las dinastías cambiarán, la gente será asesinada y habrá nacimientos, el arte se creará y destruirá, pero la civilización china prevalecerá. A pesar de sus humildes comienzos llegará a convertirse en un imperio que durante años ensombrecerá al resto del mundo. Y, sin embargo, no será solo una historia de reyes y reinas, emperadores y gobernantes, de palacios y fuertes, de espadas y escudos. También contará la historia de agricultores y comerciantes, artesanos y artistas, filósofos y científicos. Esperamos que al final de esta guía introductoria, usted tenga una idea de cómo la civilización china llegó a ser tan grande y sigue siendo importante. A partir de entonces debería tener una mejor comprensión de esta increíble cultura del Lejano Oriente y su historia, así como una mayor apreciación de sus logros y contribuciones al mundo. Y con un mejor conocimiento de la historia, también obtendrá una comprensión más clara del mundo.

Capítulo 1 – Tierras chinas y nacimiento de China

Hace mucho, mucho tiempo, un dios gigante llamado Pangu despertó de un sueño prolongado en un universo caótico en forma de huevo, y encontró solo oscuridad a su alrededor. Insatisfecho, usó su hacha para dividir el huevo en dos pedazos creando la tierra (Yin negro) y el cielo (Yang blanco). Y después de dieciocho mil años de soledad, murió, dejando su cuerpo en descomposición hasta que se transformó en montañas, ríos, bosques y otros accidentes geológicos y elementos botánicos. En una versión, creó a los humanos a partir de arcilla antes de morir porque sentía que el universo estaba demasiado vacío. En otra versión los hombres provenían de las pulgas que vivían en el pelaje de Pangu, que el viento extendió por la tierra al morir. Este es uno de los viejos mitos chinos de la creación tanto del universo como de la raza humana, o para ser más precisos, del pueblo chino. Durante siglos esta fue una de las historias en las que los antiguos chinos creían, pero por supuesto hoy sabemos mejor que no hay que interpretar las leyendas al pie de la letra.

1. Ilustración del rey gigante Pangu. Source: https://commons.wikimedia.org

Los datos arqueológicos nos muestran una historia completamente diferente del asentamiento temprano de China, que tal vez no es tan imaginativo o divertido, pero no por ello es menos impresionante. Los restos fósiles más antiguos encontrados en China datan de hace unos 2 millones de años. Estos restos son del Homo erectus, el predecesor del Homo sapiens, u hombre moderno. Esto significa que China se estableció en la Edad de Piedra temprana, científicamente conocida como la Era Paleolítica. Estos prehumanos, como podríamos llamar el Homo erectus, se establecieron en grandes áreas de lo que hoy es la China moderna, y muestran una diversidad bastante significativa en el uso de sus herramientas y la forma de vida. Hace unos 300.000 años, estos prehumanos comenzaron a evolucionar hacia el Homo sapiens tanto en África, la cuna de la humanidad, como en Asia. Algunos de los primeros asentamientos del hombre moderno en China datan de hace unos 200-250.000 años, y a partir de ese momento, el desarrollo de herramientas y vida social comenzó a acelerarse hasta que culminó en lo que hoy se llama la "Revolución neolítica" (nueva Edad de Piedra), que comenzó en algún lugar hace entre 8 y 10.000 años. En ese período, la agricultura se desarrolló en China, como en las otras "cunas de la civilización". Los principales cultivos de estos asentamientos neolíticos fueron el arroz y el mijo. También comenzó a haber indicios de herramientas más complicadas, como lanzas, flechas, ganchos y agujas, así como de la práctica de rituales. Estas primeras culturas también domesticaron perros y cerdos, y en períodos posteriores comenzaron a fabricar cerámica cruda. Por supuesto, es demasiado pronto para denominar a estos primeros humanos como pueblo chino, pero lo más probable es que fueran sus antepasados.

El área principal de los primeros asentamientos de los ancestros chinos estaba alrededor del río Amarillo (Huang) y su mayor afluente, el río Wei, que se encontraba al sur de la actual Pekín. Más tarde, se extendieron más al sur, en otro río importante en China, el río Yangtsé, que además es el río más largo de Asia. Estas áreas no fueron elegidas al azar. Gracias a las inundaciones y los materiales fertilizantes que trajeron de las llanuras del este, consiguieron una tierra bastante fértil. Esto atrajo a los primeros humanos, ya que desarrollar la agricultura con sus herramientas primitivas era más fácil. Otro detalle importante es el hecho de que aproximadamente en el medio de los ríos Amarillo y Yangtsé está la línea donde el cultivo de arroz se detiene debido al cambio de clima. El clima más cálido y lluvioso al sur de esa línea permite cultivar arroz, y también hace que el sur de China sea más tropical, con selvas densas y fuertes lluvias. En el norte, el mijo fue el principal cultivo ya que el clima es más continental, con veranos suaves y cálidos e inviernos bastante fríos. Además, hay mucha menos lluvia en el norte de China. También merece la pena señalar que el área entre estos dos ríos es en su mayoría plana, con montañas cada vez más altas a medida que se va hacia el oeste. En las fronteras noroeste de estas llanuras se encuentra una estepa seca que finalmente se convierte en un área desértica conocida hoy como el desierto de Gobi, cerca de la frontera moderna entre China y Mongolia. En el este y el sur se encuentran el mar Amarillo y el océano Pacífico, en el que desembocan los dos ríos antes mencionados.

Incluso a partir de la geografía básica, dos cosas resultan obvias rápidamente. En primer lugar, la tierra entre los ríos Amarillo y Yangtsé es bastante fértil y adecuada para el asentamiento. Esto se desprende del hecho de que incluso hoy en día la zona más densamente poblada de China es la región entre esos ríos. La otra es que las tierras de los primeros chinos estaban rodeadas de obstáculos naturales: espesas selvas al sur, altas montañas al oeste, desiertos secos al norte y un vasto océano al este. Esto permitió que la primera sociedad china creciera separadamente del resto de personas y culturas que estaban a su alrededor. Ello permitió un desarrollo bastante único y específico de la civilización china. A principios del tercer milenio a. C., varias culturas locales que surgieron entre los dos ríos principales comenzaron a fusionarse lentamente en un crisol a través del comercio, la guerra y otros contactos. Sus sociedades se volvieron más complejas, con una clase dominante en la parte superior, junto con reyes y chamanes, y la clase trabajadora en la parte inferior, principalmente agricultores. Se crearon las primeras ciudades en el corazón chino, y alrededor de esa época, China entró en la Edad del Cobre. Entonces abandonó la piedra para producir herramientas y creó armas metálicas más avanzadas. Fue una transición del Neolítico a la Edad del Bronce. Este fue el comienzo de lo que se podría llamar civilización protochina.

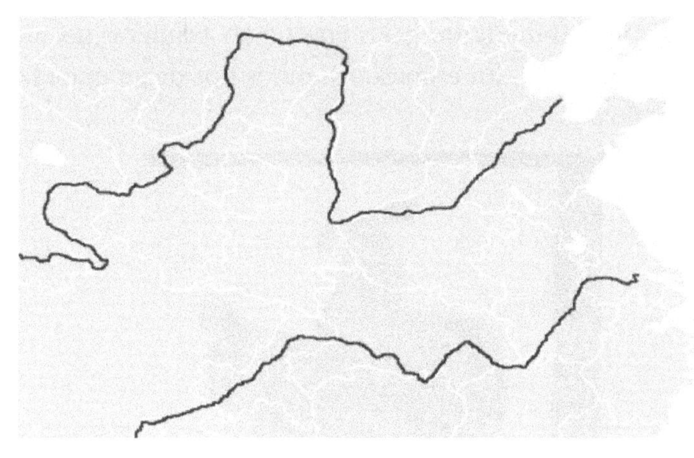

2. Mapa del centro de China con provincias modernas con losríos Amarillo y Yangtsé marcados. Fuente: https://commons.wikimedia.org

Desafortunadamente para los historiadores, el tercer milenio a. C. está rodeado de numerosos mitos y leyendas que fueron escritos en las generaciones posteriores. Esto sumado a que los hallazgos arqueológicos son limitados, hace difícil conocer los acontecimientos exactos. Historias escritas por los primeros historiadores chinos, como Sima Qian, nos dicen que en los primeros días los tres soberanos gobernaron uno tras otro después de la muerte de Pangu, y se les atribuyó la creación de orden en el universo recién formado. Supuestamente separaron a los humanos en tribus, les dieron gobernantes adecuados, organizaron el movimiento del sol y la luna, y dividieron a China en nueve provincias tradicionales. Estas fueron algunas de las muchas hazañas que se les atribuyen. Estos primeros gobernantes fueron vistos como seres semidivinos que vivían durante muchos miles de años, y tenían rasgos sobrenaturales, fuerza y otras características inhumanas. Después de ellos vinieron los cinco emperadores, comenzando con el emperador Amarillo. Tradicionalmente su gobierno está datado entre los años 2700 y 2600 a. C., y a menudo ha sido visto como el padre del pueblo chino. Fue el primero en ordenar la vida de los seres humanos, enseñando a sus hermanos nómadas cómo construir refugios, granjas, domar animales y hacer ropa. Incluso les otorgó sus primeras leyes, la primera versión del calendario chino moderno, y les enseñó las primeras nociones de matemáticas y escritura. En esencia, los mitos nos dicen que él creó la civilización china.

3. Dibujo antiguo que representa al emperador Amarillo. Fuente: https://commons.wikimedia.org

Pero como era un simple humano, murió después de alcanzar los 113 años de vida, dejando el trono al próximo emperador. Los siguientes cuatro emperadores también gobernaron durante mucho tiempo, la mayoría de ellos también lograron celebrar más de 100 cumpleaños. Y todos ellos también fueron gobernantes muy sabios y capaces de desarrollar y mejorar la vida del pueblo. Trajeron música, arte y juegos (como el tradicional juego de mesa Weiqi, o Go), y regularon el sistema social con un feudalismo patriarcal. También prohibieron el matrimonio entre parientes y organizaron la religión temprana. Todos ellos también supuestamente renunciaron a sus tronos voluntariamente y se lo otorgaron a las personas que consideraban más virtuosas y valiosas para gobernar. Curiosamente los sucesores que eligieron por lo general no pertenecían a sus familias. El último emperador, Shun, cedió su trono a Yu, hoy conocido como Yu el Grande, un héroe que logró controlar las inundaciones que perturbaban a China en ese momento mediante la construcción de canales y presas, esencialmente con la creación de los sistemas de riego. Fue considerado un hombre perfecto para continuar el gobierno iluminado de los emperadores anteriores con el objetivo de seguir desarrollando China. Tradicionalmente su gobierno está fechado alrededor del 2200 y 2100 a. C., y fue visto como el gobernante ideal, un sabio rey filósofo, que logró unir varias tribus, imponer impuestos justos, construir carreteras y distribuir alimentos, haciendo de China bajo su gobierno una tierra de bienestar general.

Estas historias de grandes emperadores míticos son fácilmente descartables porque son pura ficción que fue escrita en los siglos posteriores, especialmente teniendo en cuenta que aún no se ha encontrado evidencia concreta de su gobierno. No quedan registros, no se han excavado tumbas, y ni siquiera se ha descubierto un monumento de algún tipo que date de su época. Durante mucho tiempo, los historiadores los han considerado meras leyendas. Sin embargo, los nuevos hallazgos arqueológicos han hecho cambiar sus interpretaciones. Ahora piensan que estos mitos están basados en la realidad en algunos aspectos. Durante el tercer milenio, la civilización china pasó por su período de formación, logrando casi todas las hazañas antes mencionadas de los grandes emperadores. La sociedad comenzó su estratificación, donde poco a poco comenzó a surgir una clase dominante; los chamanes y la religión se formaron; crearon su propio calendario; y mostraron los primeros signos de la escritura, aunque aún no habían desarrollado completamente un sistema de escritura. Las aldeas construyeron sistemas de riego que permitían obtener mejores rendimientos de los cultivos que podían mantener a poblaciones más grandes. Ello propició el crecimiento de sociedades más pobladas. Además, se construyeron carreteras y dispositivos de transporte inicial como carros y barcos, lo que condujo a una conexión más estrecha entre diferentes tribus y aldeas. Las cerámicas eran ahora más delicadas, con decoraciones más bonitas. Los utensilios de jade, ahora sinónimo de arte clásico chino, se han encontrado en tumbas. Esto demuestra que el salto en la división del trabajo se había dado en este momento, ya que había artesanos centrados únicamente en sus creaciones.

Sin embargo, a pesar de todos esos acontecimientos, los historiadores deducen que la sociedad todavía no había evolucionado más allá del sistema de clanes igualitarios, donde cada miembro de la comunidad es más o menos igual entre sí tanto en riqueza como en posición, porque según las leyendas los emperadores aún no eran sucedidos por sus hijos. Creen que la clase dominante todavía no era lo suficientemente fuerte como para hacer cumplir la regla hereditaria, ya que la mayoría de los bienes, como la tierra y el ganado, todavía se compartían entre la gente de la tribu. Esa separación comenzó a producirse durante el tercer milenio a. C. y, según la cronología tradicional china, culminó alrededor del año 2070 a. C., cuando el último gran emperador Yu dejó su trono a su hijo Qi. Esto lleva a los historiadores a concluir que alrededor de esa época se produjo una clara separación entre la élite tribal, con un gobernante a la cabeza, y los plebeyos. Y esto llevó a China al sistema monárquico. Este momento también marca el nacimiento de la primera dinastía china llamada Xia, que inicia la división común de la historia china basada en la familia gobernante. Pero incluso la veracidad de la dinastía Xia ha sido cuestionada por muchos historiadores, ya que durante mucho tiempo no hubo evidencias directas de su existencia. Sin embargo, en las últimas décadas, nuevos hallazgos en la región donde supuestamente gobernaron han demostrado que efectivamente había una cultura fuerte o un estado que gobernaba las tierras mencionadas en los mitos. Pero, como apuntamos, no se han encontrado marcas que indiquen claramente que era la dinastía Xia.

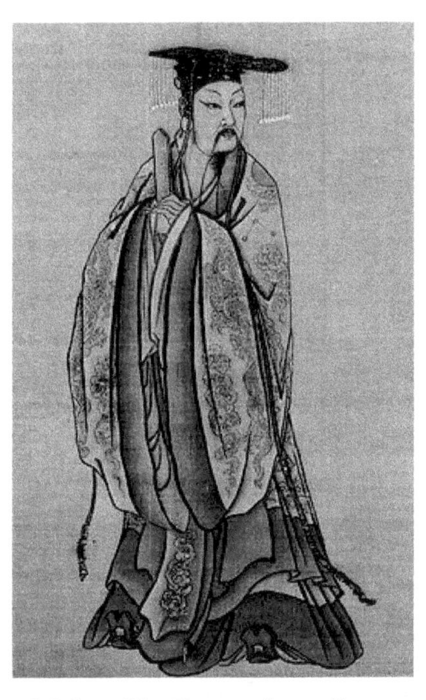

4. Pintura medieval del rey Yu. Fuente: https://commons.wikimedia.org

Los arqueólogos han encontrado varios jarrones, figuras y otras artesanías que demuestran la existencia de una cultura bastante sofisticada que vivió alrededor del río Amarillo a principios del segundo milenio a. C. Este hallazgo, junto con la aparición de nuevas herramientas y armas hechas de bronce, marca claramente el momento en el China entra en la Edad del Bronce. Además, en recientes estudios arqueológicos se han desenterrado varios proyectos de construcción de gran tamaño, como los palacios reales, y los historiadores han sugerido que alguno de estos lugares pudo haber sido una capital de la dinastía Xia. En la actualidad estos hechos nos muestran que hace unos 4.000 años China perdió por completo los restos de la sociedad tribal igualitaria. La clase dominante se hizo rica y lo suficientemente poderosa como para ordenar a los plebeyos que construyeran palacios, templos o cualquier otro tipo de obras públicas. Además, se adoptaron nuevas tecnologías, sobre todo la fundición de bronce, algo que muestra un avance bastante importante de la civilización china. Eso combinado con un calendario más preciso permitió realizar un salto en la producción agrícola. Las armas de bronce encontradas muestran claramente que la guerra se convirtió en algo más común entre los antiguos chinos. Esto también es importante para la estructura social de la sociedad, ya que las élites se encargaron de la defensa de la población común. Pero las guerras ofensivas también trajeron ganancias adicionales para la clase dominante, elevándola aún más del nivel de los agricultores y artesanos.

Las fuentes tradicionales nos dicen más o menos lo mismo. Los reyes Xia construyeron palacios, libraron guerras con tribus circundantes y ampliaron sus territorios, con una clara distinción entre los gobernantes y las élites de los plebeyos. Estas fuentes dicen que la dinastía Xia gobernó aproximadamente durante 450 años. Sus reyes tenían sus altibajos, algunos eran gobernantes capaces, mientras que otros eran débiles o abusivos. Pero al final, toda la dinastía ha sido mantenida en alta estima por el pueblo chino a lo largo de los siglos, y la mayoría de sus gobernantes han sido vistos como los padres fundadores de China. Su gobierno terminó alrededor del 1600 a. C. cuando uno de los vasallos de Xia se rebeló y derrocó a Jie, el último gobernante de Xia, que fue representado como un gobernante abusivo y pobre. Ese rebelde fue Tang, el fundador de la segunda dinastía china llamada Shang. Hoy en día, la dinastía Xia sigue siendo un tema controvertido en la historia china, ya que algunos historiadores todavía la ven como un puro mito. Se ha propuesto una nueva teoría que afirma que los Xia sí existían, pero que en realidad no gobernaron la totalidad de China. Los defensores de esta teoría señalan que es probable que los historiadores posteriores les atribuyeron esa posición porque el estado de Xia era el más poderoso en ese momento, y fueron la opción más conveniente para que los historiadores describieran ese período. De hecho, señalan que, según las leyendas, los Shang y Zhou, las dinastías que vinieron después de la Xia, existieron durante el gobierno de esa primera dinastía.

Al final, creer en las historias de los cinco emperadores o en la dinastía Xia no es exactamente importante aquí. Lo fundamental es el hecho de que durante el período descrito a través de estos mitos la civilización china se forjó y se convirtió en lo que hoy conocemos. Estas leyendas solo nos cuentan cómo los propios chinos antiguos vieron esta transición a través de figuras míticas y semi míticas que los guiaron para pasar de ser cazadores recolectores errantes con herramientas de piedra a convertirse en ciudadanos de estados y sociedades completamente funcionales, con armas de bronce y viviendo en lujosos palacios. Y el antiguo pueblo chino ha celebrado los logros de estos antepasados dándoles el debido crédito por todos los logros posteriores de la cultura china. Finalmente, tanto estas historias como la evidencia arqueológica explican algo muy importante: cómo nació China.

Capítulo 2 – Las dinastías Shang y Zhou y el ascenso del poder real

A finales del siglo XVII a. C., la primera dinastía china había caído y una nueva había resucitado. La dinastía Shang es la primera dinastía confirmada que los historiadores pueden identificar claramente. También se ubicaba en la cuenca del río Amarillo, continuando con las tradiciones y el desarrollo de la dinastía Xia que le había precedido. Si los Xia habían construido los cimientos de la civilización china, los Shang fueron los que realmente la convirtieron en lo que es hoy. Bajo su mandato, el reinado imperial se solidificó, se lograron más avances en la fabricación y construcción del bronce, se mejoró aún más el calendario y se organizó por completo el sistema de escritura. De hecho, fue durante la dinastía Shang cuando China pasó de la era prehistórica a la era de la historia registrada o escrita. Y medró rápidamente desde sus humildes comienzos a una civilización que podría igualar a cualquiera de sus contemporáneas.

Ese ascenso llegó con Tang, el primer gobernador de la dinastía Shang, que al principio era solo un subordinado local de los Xia. Las historias tradicionales nos dicen que, a lo largo de las décadas, reunió poder e influencia, a lo largo de las décadas, sobre todo a costa de los otros vasallos de Xia. Poco a poco, los pequeños reinos, ciudades y tribus que la rodeaban cayeron bajo su dominio, mientras que su soberano, su señor feudal, se preocupaba poco. Por otro lado, la gente y los estados que Tang conquistó pusieron poca resistencia, ya que Jie, el último gobernante de Xia, era un rey bastante tirano que se preocupaba poco por sus subordinados. Finalmente, el poder de Tang creció y el de Jie disminuyó, por lo que el antiguo vasallo se levantó contra su superior y desafió su gobierno. Cuando la batalla estaba a punto de comenzar, Tang dio un discurso a sus enemigos, señalando todos los defectos de Jie, y según la tradición, muchos de los generales cambiaron de bando mientras los soldados comunes simplemente se marcharon del campo de batalla. Los Shang salieron victoriosos, y Jie tuvo que huir, con lo que abandonó su trono. Pasó los años restantes de su vida en un monasterio. Y la nueva dinastía Shang llegó al trono. Se desconoce el año exacto de este evento; la historia tradicional nos dice que sucedió a principios del siglo XVII, alrededor del 1675 a. C. Pero los estudios arqueológicos modernos y el análisis en profundidad de las primeras historias chinas indican que es más probable que esto ocurriera alrededor del año 1600.

El nuevo gobernante chino cumplió su palabra, y primero redujo los impuestos y redujo el reclutamiento para el ejército real, algo que le hizo ser más popular entre el pueblo. Pero a pesar de tener un ejército más pequeño, Tang logró extender su influencia a las tribus circundantes, aumentando el tamaño del estado de Shang y gobernando sobre la cuenca media y baja del río Amarillo. Y cuando las sequías hicieron estragos en su pueblo, les dio dinero de su tesorería para ayudarlos a salir. Por todo esto, es recordado como uno de los mejores reyes chinos antiguos. Sin embargo, independientemente de este gran comienzo, parece que la dinastía Shang temprana carecía de estabilidad, ya que en los siguientes 250 años sus gobernantes cambiaron la ubicación de sus capitales cinco veces. Los historiadores no pueden decir por qué sucedió esto, pero es muy probable que el dominio Shang no fuera seguro y que tuvieran que lidiar con muchas amenazas locales y posiblemente externas, por lo que sus gobernantes trasladaron su capital para manejar mejor esos problemas o para establecer su corte en lugares más seguros. Parece que alrededor del 1350 a. C., los gobernantes de Shang lograron superar estas dificultades cuando el rey Pan Geng movió la capital por última vez. Eligió volver a la capital original de Tang, a un lugar hoy llamado Anyang. Esto marcó el inicio de la Edad de Oro de Shang.

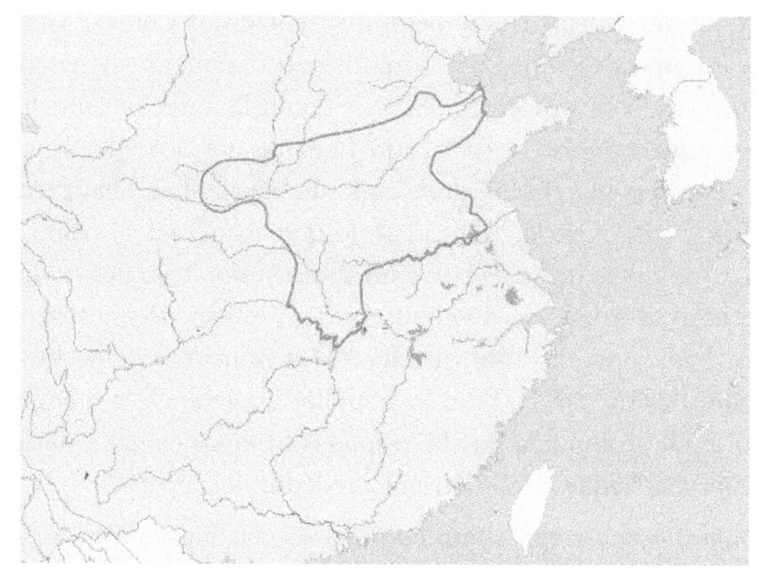

5. Mapa que muestra el territorio de la dinastía Shang.
Fuente: https://commons.wikimedia.org

Esa edad dorada estuvo marcada por la paz, la prosperidad y un aumento general en el poder del estado de Shang, alcanzado mientras Pan Geng aún estaba vivo. Algunos de los últimos registros chinos incluso nos dicen que trajo de vuelta algunas de las reformas de Tang, tanto para apaciguar a sus súbditos como para restaurar la gloria anterior a su reino. Tras su muerte, Pan fue sucedido por sus dos hermanos menores antes de que su sobrino, Wu Ding, llegara al trono. Bajo su gobierno se lograron los mayores éxitos. Su reinado duró 58 años. Los historiadores modernos lo han fechado desde 1250 hasta 1192 a. C. Era a la vez un diplomático capaz y un gran comandante militar. Logró establecer y reforzar alianzas con muchas tribus circundantes casándose con alguna princesa de cada tribu y convirtiéndolas en sus concubinas. Las tribus que eran demasiado hostiles y belicistas fueron conquistaron a través de la guerra. Conquistó tres tribus vecinas. Y otras dos, al ver su poder, optaron por enviar emisarios y negociar la paz. El estado de Shang floreció económicamente, mejoró el comercio y aumentó la cantidad y la calidad de la producción de todo tipo.

Los asombrosos avances logrados por la época dorada de la dinastía Shang también pueden ser corroborados con evidencias arqueológicas. En las tumbas reales de este período se han descubierto cientos de objetos de bronce finamente elaborados, como copas de vino, cálices, embarcaciones religiosas, armas e incluso decoraciones de carros. Junto a esos artículos diversos hechos de bronce, marfil se encontraron otros materiales más lujosos. Estos hallazgos muestran lo rica que se había vuelto la élite durante el apogeo del poder de Shang. El descubrimiento más importante fueron las cantidades de bronce encontradas en estas tumbas, algunas pesaban toneladas. Esto muestra hasta qué punto se había desarrollado la metalurgia china. Ninguna otra civilización antigua ha producido tanto bronce como la Shang en China. Eso lleva a los historiadores a creer que a partir de la producción de bronce a pequeña escala de la era Xia, China logró desarrollar la producción a gran escala en el siglo XV a. C., y creó algo que en términos modernos llamaríamos protoindustria. La agricultura también estaba en auge. Algunas fuentes mencionan que los gobernantes de Shang drenaban campos pantanosos de tierras bajas y limpiaban de vegetación silvestre las tierras fértiles. En consiguiente la producción de alimentos también aumentó. Esto explica cómo es posible que la última capital de Shang lograra presumir de una población de unas 140.000 personas en su apogeo.

6. Trípode de bronce del período Shang.
Fuente: https://commons.wikimedia.org

Otro signo de prosperidad del estado de Shang, o al menos de su élite gobernante, fue el número de ofrendas de animales en los templos. Por lo general, unas diez cabezas de vacas eran sacrificadas en ocasiones especiales. Esta cifra aumentaría en cientos con el tiempo. El vacuno no era el único tipo de animal sacrificado. Los chinos antiguos ofrecían ovejas, cerdos e incluso perros a sus dioses. Por supuesto, la mayoría de estos animales y los pastos de los que se alimentaban estaban en manos de la familia real y de la élite, y es muy poco probable que los plebeyos disfrutaran de tanta carne como sus gobernantes.

Pero a pesar de lo importante que era el desarrollo de la ganadería a gran escala para la civilización china, se podría argumentar que la introducción de caballos y carros fue más conllevó mayores beneficios. La evidencia actual sugiere que este importante avance ocurrió en el siglo XIII, probablemente a través de las tribus nómadas que vivían en las estepas de Asia Central, ya que la domesticación de caballos ocurrió por primera vez en el Cáucaso y en el Oriente Medio. La domesticación y el uso de caballos fueron avances importantes que lograron que viajar fuera un acto más fácil y rápido. Estos animales también eran útiles para el trabajo y el transporte de mercancías. En cuanto a los carros, al principio se utilizaban solo para la caza y como vehículos para los mandos en las batallas, pero a medida que la dinastía Shang se acercaba a su fin, el uso de carros en las batallas se generalizó y se emplearon más directamente en el frente, participando en las luchas en lugar de quedarse en la parte posterior.

Fue también durante el gobierno de los Shang cuando la guerra y los militares se volvieron más importantes y mejor organizados a pesar de que el tamaño de sus ejércitos no era tan impresionante. Por lo general oscilaba entre tres y cinco mil hombres, y rara vez alcanzaba los diez mil. La mayoría de los guerreros eran soldados a pie armados con hachas, lanzas y arcos. En el núcleo de estos ejércitos había un pequeño número de profesionales nobles capacitados que dedicaban su vida a perfeccionar sus habilidades de lucha. Su existencia puede ser atestiguada por la existencia de varios títulos y rangos. Lo más probable es que protegieran al rey o al general a cargo. La mayoría de las tropas provenían de grupos de campesinos no entrenados surgidos de los linajes nobles subordinados llamados zu. Estos linajes sirvieron como organizaciones militares y sociales, lo que nos da una visión de cómo se organizó el estado y la sociedad de Shang. Era, de hecho, un sistema de linaje patriarcal semifeudal en el que la realeza gobernaba sobre las familias locales más pequeñas que debían servir a su rey. Los jefes de linaje de estos zu estaban interconectados con la dinastía real a través de varios lazos de parentesco, beneficios, privilegios y obligaciones. Los reyes les ofrecieron guía espiritual, realizaban rituales religiosos para ellos y protegían su labor en el ejército a cambio de los tributos que pagaban. Es evidente que el estado de Shang todavía no tenía una burocracia completamente desarrollada, ya que dependía de la aristocracia local para cumplir la voluntad del gobierno central. No obstante, existían algunos cargos reales, generalmente dados a los nobles superiores en los que el rey confiaba, como la figura del "siervo junior para el cultivo". La pregunta sigue siendo si estas oficinas proto burocráticas realmente tenían algún poder o solo eran ceremoniales.

Este sistema social patriarcal también nos indica que los antiguos reyes chinos cumplieron un papel religioso importante en la sociedad. Invocando su conexión con sus antepasados deificados y adorados, los gobernantes de Shang lograron desempeñar un papel central en la vida religiosa de sus súbditos. Y ello representaba una piedra angular importante de su control sobre los temas que gobernaban. Esto hizo que el gobierno de los primeros reyes chinos fuera más bien teocrático, como lo fue con muchos otros reyes antiguos, por ejemplo, con los faraones en Egipto. Este papel del rey como chamán real disminuyó a medida que aumentó su poder político y su riqueza, ya que ya no necesitaban depender tanto del control espiritual de las personas que estaban debajo de ellos. Pero a pesar de eso, la religión continuó desempeñando un papel importante en la vida cotidiana de la dinastía Shang. Los sacrificios eran una práctica común para ellos, y aunque la mayoría de las ofrendas eran animales u objetos valiosos, en algunos casos hay signos de sacrificios humanos, principalmente en tumbas reales, posiblemente para servir a los reyes en el más allá. Incluso en la muerte preservaban la jerarquía. Los criados del gobernante eran enterrados más cerca de él y los cuerpos de jóvenes desmembrados y decapitados, probablemente prisioneros de guerra, eran depositados más lejos.

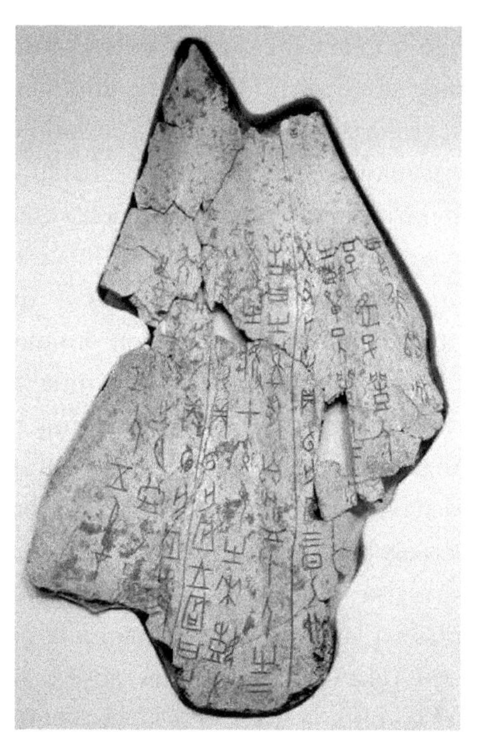

7. Huesos de oráculo tallados con la evidencia de escritura china más reciente encontrada. Fuente: https://commons.wikimedia.org

La adivinación parecía ser una de las partes más importantes de su sistema de creencias y prácticas. Los chamanes trataban de hablar con los dioses y los antepasados, pidiendo sus consejos y favores. La importancia de esta práctica está corroborada por la evidencia de la escritura china más antigua, que proviene de los huesos de un oráculo del siglo XIII a. C. Las personas inscribían registros y preguntas que luego eran quemadas e interpretadas por un adivino a través de adivinaciones pirománticas. El uso de palabras escritas para la adivinación, en el momento en que la alfabetización era poco común y la escritura era visto como algo especial y casi mágica, significa que esta práctica tenía un significado especial para los antiguos chinos. Como los huesos son materiales duraderos, esos escritos se conservaron.

El hecho de que hubiera un sistema de escritura completamente desarrollado durante el gobierno de Shang también es indicativo de hasta qué punto la civilización china había avanzado en ese momento. Ahora hay que mencionar que es muy probable que los antiguos chinos hubieran desarrollado la escritura mucho antes del siglo XIII, ya que para entonces ya era un sistema totalmente funcional y organizado. Algunos historiadores argumentan que las primeras versiones de escritura china se desarrollaron durante la dinastía Xia. Pero como no se han encontrado evidencias arqueológicas de ello, es solo una conjetura. También cabe señalar que muy probablemente la escritura no se utilizara solo para fines religiosos, al menos en la Edad de Oro de la dinastía Shang. Como su estado era bastante grande en ese momento y se pagaban varios tributos y gravámenes, necesitaban mantener algunos registros de todos los negocios estatales. Algunas pruebas encontradas en las escrituras apuntan a la posibilidad de que los documentos no religiosos se escribieran en materiales menos duraderos como el bambú, la madera o incluso la tela, haciendo que su supervivencia hasta el día de hoy sea bastante improbable. Pero lo importante es que la cultura china había avanzado significativamente a finales del segundo milenio a. C., algo que es atestiguado no solo por la escritura, sino también por todos los demás logros de la dinastía Shang.

Como suele ocurrir en la historia, después de un gran gobernante y una edad de oro, los estados generalmente comienzan a declinar y el gobierno central pierde lentamente su poder. Con el paso del tiempo, los nuevos reyes de la dinastía Shang estaban cada vez menos involucrados con el gobierno y delegaban cada vez más a sus oficiales. Ya no eran generales dirigiendo sus tropas, y no les preocupaba el bienestar general de sus súbditos, así que ponían a sus representantes para hacer frente a las sequías o la hambruna. A medida que su control se aflojaba vasallos y súbditos comenzaron a escapar lentamente de su control. Primero los más lejanos del territorio central de Shang, luego los más cercanos. Uno de estos vasallos indisciplinados era la familia noble Zhou, que gobernaba en las fronteras occidentales del estado de Shang. Se volvió tan poderosa que estuvo a punto de ser un estado independiente. El jefe de la familia, llamado Wen, fue encarcelado por un rey Shang llamado Di Xin, porque temía su influencia y poder. Como venganza, Wen planeó derrocar al rey Shang, que en su juventud había sido un gobernante bastante bueno y capaz, pero que se volvió cada vez más descuidado y cruel cuando envejeció. Sin embargo, Wen murió antes de seguir adelante con sus planes. Fue su hijo Wu quien cumplió los deseos de su padre.

Como rey, Di Xin no era consciente de lo mal que estaba su dominio, así que envió un ejército a luchar en el este. Wu aprovechó la situación y atacó el núcleo del territorio Shang. Según fuentes tradicionales, fue respaldado por muchos antiguos aliados y vasallos leales de una dinastía Shang en descomposición. En el 1046 a. C., se produjo la gran batalla de Muye en la que las fuerzas de Di Xin sufrieron una derrota completa. Huyó a uno de sus palacios, donde se suicidó prendiéndose fuego. Con su muerte, Wu se convirtió en el nuevo rey, creando una nueva dinastía llamada Zhou. Y el viejo rey Shang se convirtió en uno de los ejemplos de gobernante malo y corrupto. Este rey acabó siendo conocido como el rey Zhou, palabra que cuando se escribe en caracteres chinos y se pronuncia significa grupa de caballos, una parte de la silla de montar que más a menudo está sucia. En este punto, parecía que el gobierno de la nueva dinastía Zhou estaba asegurado, ya que la mayoría de la gente acogió con beneplácito el cambio en el trono, especialmente cuando el nuevo rey abrió inmediatamente almacenes reales para ayudar a los plebeyos con la intención de ganar su apoyo. Pero solo dos años después de su gran victoria, el rey Wu murió, dejando en el gobierno a su hijo más joven llamado Song.

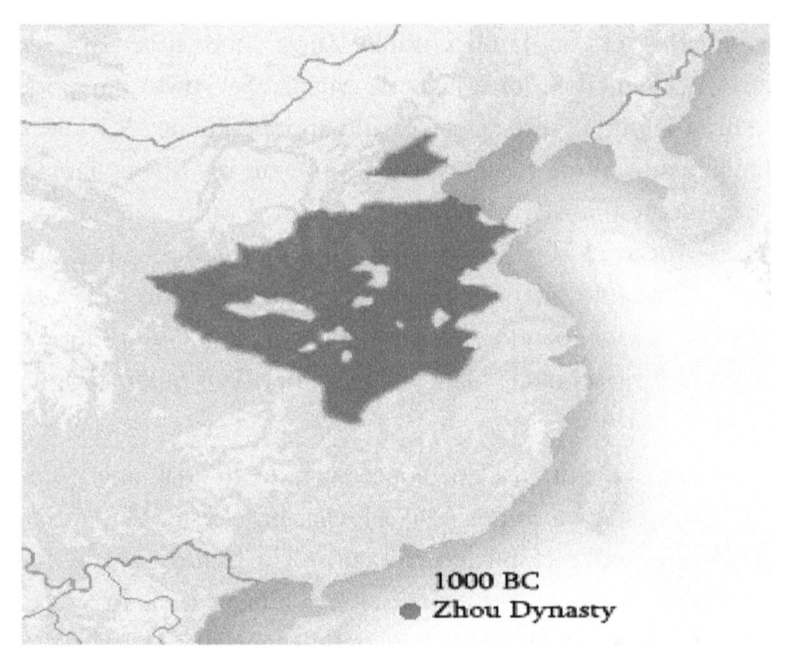

8. Territorio bajo el dominio Zhou alrededor de 1000 a. C.
Fuente: https://commons.wikimedia.org

Temiendo que un rey joven pudiera ser un problema en el trono, ya que el gobierno de la dinastía Zhou aún no estaba cimentado, su tío Gong Dan intervino como guardián y regente gobernando en su lugar. Pero parece que esta fue la única decisión que pudo tomar. Otros hermanos del difunto rey Wu se enfadaron por este movimiento, ya que al menos uno de ellos en la línea de sucesión tenía la edad suficiente para gobernar. Esto condujo a una guerra civil entre hermanos. Por un lado, estaban Gong Dan y el rey Cheng -como fue conocido Song más tarde-, y por otro lado estaban los tres guardias, los hermanos de Gong Dan. Aunque los guardias también fueron respaldados por otros nobles y los últimos miembros de la dinastía Shang, no pudieron vencer a Gong Dan, quien utilizó su poder no solo para confirmar el gobierno de la dinastía Zhou, sino también para ampliar su territorio. Cuando el joven rey Cheng se hizo lo suficientemente mayor, renunció al trono de buen grado para dejárselo a su sobrino. Siguió teniendo una parte importante del consejo real. Fue recordado en las siguientes generaciones como el paragón de la virtud, a veces incluso llamado el Primer sabio. Pero lo que es más importante, algunos historiadores modernos le atribuyen la formulación de la doctrina política conocida como el Mandato del Cielo.

Esa doctrina se utilizó para legitimar el derrocamiento de la dinastía Shang y la formación de la nueva dinastía Zhou. Estipulaba que cada dinastía y su actual gobernante habían recibido el mandato del cielo de gobernar en el orden natural, en beneficio de toda la nación. Si algún gobernante no lo cumplía, podía ser legítimamente destronado y sustituido por otro, incluso sustituyendo a toda una dinastía con él. Como el último gobernante de la dinastía Shang era bastante terrible, los Zhou tenían todo el derecho a rebelarse, ya que ahora el mandato del cielo estaba de su lado. Desde entonces esta doctrina se convirtió en uno de los pilares más importantes del gobierno imperial, y fue defendida por todas las dinastías siguientes hasta el siglo XX y la Era Moderna. Esta regla fue utilizada por reyes y emperadores chinos para estabilizar y consolidar su gobierno, así como para justificar el derrocamiento de sus predecesores. Vale la pena mencionar que, aunque esta fue la primera proclamación oficial de esta doctrina, sus orígenes se pueden encontrar antes. Por ejemplo, en la historia sobre cómo la dinastía Shang derrocó a la dinastía Xia para eliminar su malvado gobierno.

Pero la dinastía Zhou hizo algo más que depender de una nueva doctrina política para asegurar su recién adquirido poder. Primero, los reyes reconocieron que una de las debilidades del estado de Shang era la deslealtad de los vasallos, que tenían lazos reales con el gobierno central. Los gobernantes se dieron cuenta de que depender de la religión y ofrecer protección no les iba a comprar mucha lealtad, por lo que confiscaron y dividieron muchas tierras a sus parientes más cercanos, a los hermanos e hijos de los reyes Wu y Cheng, así como a Gong Dan. Esto creó docenas de ciudades-estado más pequeñas, que estaban estrechamente conectadas con la dinastía central por la sangre. Este tipo de gobierno descentralizado, en el que los señores locales gobiernan sus propias propiedades con solo una subordinación parcial al gobierno central, a veces se equipara al feudalismo europeo medieval, pero ese no es el caso aquí. Este sistema, conocido como fēngjiàn, se basaba más en los lazos familiares que en el código feudal. Y en el mejor de los casos podría describirse como proto feudalismo. Y, de hecho, trajo unas décadas de paz y prosperidad en China, sin muchas rivalidades y peleas entre los nobles, ya que no desafiaban la autoridad del gobierno central.

9. Rey Zhao de la dinastía Zhou. Fuente: https://commons.wikimedia.org

Este período temprano está marcado por la expansión y conquista de las tribus vecinas al norte y al este. Y estas tierras recién conquistadas no solo fueron forzadas al vasallaje, como era la costumbre anterior. La nueva dinastía trató de mantener un mayor nivel de control y lealtad de estas áreas colonizándolas y reubicando a parte de la población leal con ellos. Era una señal de que el nuevo sistema de fēngjiàn estaba funcionando, ya que el estado de la dinastía Zhou se hizo más poderoso, más rico y más grande que el de su predecesor. Pero a mediados del siglo X a. C., bajo el gobierno del rey Zhao, que gobernó del 977 al 957, la expansión se detuvo. Trató de seguir los pasos de su padre y su abuelo, pero sufrió una derrota decisiva en su campaña en el sur. La dinastía Zhou perdió tanto a su gobernante como a la mayoría de las fuerzas reales centrales. El rey sucesor de Zhao, Mu, se encontró en una posición difícil. El gobierno central perdió tanto su poder como la reputación entre sus súbditos. Al mismo tiempo, debido al cambio de generaciones, la conexión de sangre entre el rey y sus vasallos se diluyó, ya que los lazos ya no eran tan cercanos como hermanos y tíos; ahora eran primos lejanos. El sistema proto feudal de la dinastía Zhou empezaba a agrietarse.

Parece que el rey Mu fue consciente de eso y trabajó duramente para reformar el estado. Empezó por el ejército. Se dio cuenta de que sería más beneficioso si eligiera a sus capitanes y generales de acuerdo con sus habilidades en lugar de por sus lazos familiares. De esta manera comenzó la práctica de la investidura en el ejército, que marcó el comienzo de la reestructuración militar china y un giro gradual hacia la profesionalización. Mu usó una idea similar para reformar su corte también. Se rodeó de personas capacitadas para actuar como sus ministros o, como eran llamados, supervisores, junto a numerosos escribas, asistentes y proveedores. De esta manera se creó un aparato burocrático que comenzó a separar al rey de su pueblo, incluso de los nobles. Un ejemplo claro de esto es que durante su reinado todos los visitantes de la corte real tuvieron que ser presentados al rey porque ya no conocía a todos sus vasallos personalmente. Además, el rey Mu inició la costumbre de escribir cada decisión judicial, fallo, mapas, investidura, leyes y cualquier otra acción real. Y con ello creó el primer código jurídico sistemático en China.

Estas reformas permitieron al rey Mu pasar la mayor parte de su largo gobierno en campañas con su ejército. Libró guerras en casi todos los frentes. Defendió y expandió las fronteras del oeste y del norte, confirmó la influencia real en el este, y lideró una invasión exitosa en el sureste. Tuvo bastante éxito en esas acciones militares, ya que bajo su gobierno el estado logró su mayor expansión. Logró conquistar numerosas tribus, ganándose su lealtad con la exhibición de la fuerza o a través de la conquista pura si se negaban a someterse. Pero a pesar de su éxito militar y reformas importantes, no fue visto como un gran gobernante. Por un lado, recibió elogios por sus logros, pero por otro, fue criticado por estar lejos de la capital con demasiada frecuencia. También se argumentó que sus reformas legales y burocráticas eran necesarias porque carecía de las virtudes y el carisma de los gobernantes anteriores. Y durante su reinado, el gobierno de los reyes se convirtió en un sistema administrativo distante y sin rostro que se preocupaba menos por el pueblo. Incluso sus logros militares fueron vistos solo como un éxito parcial, ya que uno de los estados fronterizos más grandes dejó de ser un vasallo real.

A pesar de los defectos, el rey Mu logró mantener su gobierno mayormente estable, y el gobierno central retuvo tanto la influencia como el poder. Pero durante el medio siglo siguiente, por el que pasaron cuatro reyes chinos, estas circunstancias cambiaron de manera lenta pero segura. Aunque la cronología y los eventos exactos no pueden ser fechados con precisión, ciertas historias nos ofrecen una visión sobre cómo se desarrolló el estado general de las cosas. Uno de los vasallos orientales más importantes fue hervido en aceite, y en varias ocasiones, el ejército real tuvo que interferir en los asuntos locales de los nobles. Esto significa que el control del gobierno central se estaba deteriorando y que ahora tenía que depender de la fuerza bruta para hacer cumplir su propia voluntad. Algunos de los vasallos incluso se atrevieron a atacar las tierras reales. Al mismo tiempo, las tribus circundantes también estaban utilizando el debilitado estado de China como una razón para atacarlo. Fuentes posteriores nos dicen que la casa real comenzó a declinar, y que incluso fue ridiculizada con sátiras de poetas. La culminación de ese deterioro se produjo durante el gobierno del rey Li a mediados del siglo IX a. C.

El rey Li era un rey terrible, corrupto y decadente, sin una sola cualidad redentora. Se preocupaba poco por sus súbditos, se negó a escuchar los consejos de sus funcionarios de la corte u otros nobles, buscando solo maneras de reunir más riqueza. El rey Li también fue cruel y castigó severamente a cualquiera que se atreviera a hablar en su contra. La situación se volvió tan insoportable que finalmente algunos de los nobles comenzaron una revuelta abierta contra los Zhou, forzando al rey Li al exilio en el año 841 a. C. El período que le siguió se conoce hoy en día como la regencia Gonghe (armonía conjunta) donde el trono chino estaba vacío. Durante este interregno, parece que alguien conocido como Gong gobernó como regente, aunque algunas fuentes también mencionaron un reinado combinado de Shao Gong y Zhou Gong. Pero incluso si estos dos últimos no hubieran gobernado, jugaron un papel importante en ese momento, ya que, en el año 828, cuando el rey Li murió en el exilio, persuadieron a Gong He para que renunciara al gobierno en favor del hijo de Li, el futuro rey Xuan. La regencia Gonghe nos da una pista certera de lo debilitado que se había vuelto el poder real en ese momento y lo poderosos que se habían vuelto los nobles. Pero a pesar de eso, se mantuvo parte del prestigio real y de su significado, de lo contrario Xuan no habría sido elegido para gobernar, ya que Gong se encontraba en una buena posición para comenzar una nueva dinastía. Lo más probable es que no fuera capaz de hacerlo, ya que otros nobles se habrían opuesto a él.

Cualquiera que sea la razón real, el rey Xuan asumió el trono. Al principio, parecía el líder capaz y fuerte que los Zhou necesitaban para recuperarse del interregno. En el primer tercio de sus 45 años de gobierno, logró victorias sustanciales en el oeste y el sur y logró reafirmar el control Zhou en el este. Su principal objetivo era restaurar la autoridad real, y parecía que lo iba a lograr. Pero con el paso de los años, el rey Zhou volvió a involucrar a los militares en asuntos de sucesión de los señores locales en varias ocasiones. Es probable que estuviera tratando de asegurarse de que sus partidarios y las personas más leales a él heredarían los títulos, ampliando así el apoyo que tenía entre los nobles. Pero este plan fue contraproducente, y después de estas intervenciones, la mayoría de los nobles comenzaron a rebelarse, negándose a cumplir órdenes que provenían del rey y del gobierno central. Lo que finalmente condujo a su caída fue el asesinato de un noble inocente. Las leyendas apuntan a que el rey Xuan fue finalmente asesinado por el fantasma enojado del noble asesinado, pero en realidad, lo más probable es que fue un asesinato en represalia por el acto vil. Así que, en 782 a. C. fue sucedido por su hijo, Tú.

10. Rey Xuan de la dinastía Zhou. Fuente: https://commons.wikimedia.org

El reinado del nuevo rey comenzó de manera bastante catastrófica, ya que un gran terremoto causó enormes daños durante el segundo año de su gobierno. Las fuentes nos dicen que las montañas se desmoronaron y los ríos se secaron, y aunque esto es probablemente una exageración, indica que este desastre natural provocó graves consecuencias. Para empeorar las cosas, el rey causó problemas en su corte tratando de ahuyentar a su reina y heredero, que provenían de una importante familia noble, para estar con una concubina y un hijo que tenía con ella. Las historias tradicionales nos dicen que, además, el rey Tú acosó a los nobles leales restantes iluminando balizas de alarma para la diversión de su reina concubina. Pronto nadie respondió a la llamada de la alarma. Así, cuando en el 771 a. C. la familia de la exreina se topó con las tribus bárbaras occidentales, que habían sido una amenaza constante para la capital Zhou durante décadas, y atacaron, nadie fue a ayudar al rey insensato. Tú fue asesinado, y la capital fue saqueada y devastada. Con la muerte del rey, la rama principal de la dinastía Zhou se extinguió, y Ping, el hijo de la reina desterrada, se convirtió en el nuevo rey. Dado que la región fue brutalmente saqueada por los bárbaros, la capital se trasladó al este, donde se creó una de las primeras colonias Zhou. Esto marcó la caída de la dinastía Zhou occidental y el comienzo de la dinastía Zhou oriental.

A pesar de que en realidad la misma dinastía permaneció en el poder, muchos historiadores modernos ven este momento como un punto de inflexión en el desarrollo posterior de la historia china. Con un nuevo rey, una nueva capital y cambios bastante importantes en el poder real, los historiadores tienden a dividir el gobierno Zhou en dos períodos separados. Como quedará claro en el próximo capítulo, durante el gobierno de Zhou oriental, el poder real y el prestigio dinástico continuarían desvaneciéndose, dejando solo cenizas de su antigua gloria. Pero a pesar de ese fatídico desenlace, los primeros gobernantes occidentales de Zhou dejaron una marca importante en China y su desarrollo político. Bajo su gobierno de casi tres siglos de duración, se estableció el dogma de la propiedad y el control del gobierno, pensamientos y doctrinas políticas, e incluso expresiones poéticas. Todo esto se incorporó a la cultura china y al pensamiento intelectual, que sigue presente incluso hoy en día de alguna forma. Y si las dinastías Xia y Shang fueron los cimientos de la civilización china, a menudo invisible y enterrada bajo el suelo de la historia olvidada, los Zhou occidentales fueron una piedra angular visible y reconocible, que marcó la base de la futura grandeza china. Y por eso merecieron, y de hecho recibieron, la eterna alabanza del pueblo chino.

Capítulo 3 – Desintegración del poder real

A pesar de que la dinastía Zhou oriental sobrevivió siguiendo las tradiciones establecidas por los primeros reyes Zhou, a finales del siglo VIII a. C. el poder real de la dinastía gobernante casi había desaparecido. De hecho, durante la mayor parte de los siguientes cinco siglos, los gobernantes Zhou fueron en su mayoría solo títeres en el trono, mientras que el verdadero poder recayó en los nobles locales que gobernaban varios estados grandes. Esta es la razón por la que los historiadores a veces no toman en cuenta a la dinastía Zhou oriental, y dividen su gobierno formal en dos períodos. El primero es el período de otoño y primavera, llamado así por los Anales de primavera y otoño. En esta época que se desarrolla entre el 722 y el 481, los nobles compitieron por la influencia sobre el rey. El otro período se conoce como el de los estados combatientes y duró hasta el año 221, momento en el que los nobles lucharon abiertamente entre ellos por el control total de China. Pero la desintegración del poder real comenzó en el año 771 cuando la capital se trasladó al este y las tierras centrales de Zhou fueron abandonadas por el rey.

El rey Ping, que fue responsable de la reubicación de la capital real, en los primeros días de su reinado, forjó una alianza con una de las familias nobles más importantes llamada Zheng. De hecho, las fuerzas Zheng protegieron la corte mientras se movía hacia el este, y más tarde defendieron las tierras reales de la invasión bárbara. Pero al mismo tiempo, el duque Zheng obvió cualquier relación formal entre él y su señor, y atacó a otros vasallos Zhou. Ping trató de equilibrar el poder de Zheng nombrando a otro noble, el duque de Guo, para dirigir una importante oficina de ministros de la corte. El duque de Zhengse enfureció, y en un intento de calmarlo, el rey Zhou propuso un intercambio de rehenes entre él y el duque. Este fue un precedente inaudito en el sistema feudal de la fēngjiàn que muestra una vez más cómo el poder real estaba debilitado.

En el año 719 murió Ping, y su hijo Huan se convirtió en el nuevo rey. Al igual que su padre, temía el poder del duque Zheng, y por ello trató de delimitar su influencia colocando de nuevo a Guo como su primer ministro. Esta vez el duque de Zheng respondió invadiendo abiertamente las tierras del rey. En respuesta, el rey Huan reunió un ejército de varios vasallos y en el 707 luchó contra el duque rebelde. Las fuerzas Zhou fueron derrotadas, y esto marcó el fin de cualquier tipo de autoridad real, especialmente cuando el propio rey fue herido. Ese hecho significó que los reyes Zhou habían perdido su estatus de Hijos del Cielo.

Fue en esta atmósfera política cuando comenzó el gobierno de Zhou Oriental, con unos 150 estados independientes que solo estaban formalmente subordinados a los reyes. Por supuesto, la mayoría de estos estados eran bastante pequeños: consistían en una ciudad y su entorno inmediato. La mayoría de estos estados pequeños fueron anexionados por uno de los quince estados más grandes. Y de esos quince, solo los estados Chu, Jin, Qi y Qin compitieron constantemente por ostentar el poder principal entre los estados. Querían tener influencia y prestigio durante el período de otoño y primavera. Por supuesto, los otros estados también se involucraron como aliados y enemigos, o simplemente como campos de batalla entre las principales potencias. Y como en épocas precedentes, todos estaban rodeados por tribus bárbaras, que representaban una amenaza constante para los estados chinos, pero también eran posibles aliados en la lucha por el poder. El duque de Zheng intentó hacerse valer como el líder de facto de China después de su victoria sobre las fuerzas Zhou, pero murió antes de lograrlo. Como tuvo muchos hijos, sus sucesores comenzaron a luchar entre ellos para ver quién se convertiría en el próximo duque de Zheng. Muy rápidamente, otros estados también se involucraron en estas escaramuzas. Esa guerra civil, combinada con la ausencia del poder Zhou, llevó a varias tribus bárbaras a invadir el valle del río Amarillo.

11. Mapa de estados y territorios del período Zhou oriental.
Fuente: https://commons.wikimedia.org

Pero donde el duque de Zheng fracasó, el duque Huán de Qi tuvo éxito. En el año 685 a. C., se convirtió en el duque del estado oriental de Qi, y con la ayuda de su ministro principal, reformó el gobierno. Con una administración más jerárquica, que ahora estaba mejor organizada y era más eficiente, Qi pudo movilizar recursos humanos y materiales mejor que cualquier otro estado y lo convirtió en el más poderoso en todo el reino chino. En el año 667, el duque Huan ya era lo suficientemente poderoso como para reunir a los gobernantes de otros cuatro estados que le juraban lealtad. Al mismo tiempo, el rey Zhou Hui había sido desafiado por su hermano para quedarse con el trono. Al ver que el duque Huan era el más poderoso, pidió su ayuda a cambio de un título que creó solo para él, el título de ba (*hegemon*). Huan aceptó, ya que ese título reconocía legalmente su liderazgo entre los estados chinos, y le daba el derecho de intervenir militarmente en nombre de la corte real como quisiera. Aunque esto significaba una usurpación del poder real, parece que el duque Huan y su primer ministro no lo habían planeado así. Su objetivo era preservar el sistema feudal Zhou y restaurar la autoridad del Hijo de los Cielos.

Las acciones del duque de Qi, en esencia, corroboraron estas intenciones: atacó un estado que apoyaba al hermano del rey, envió ejércitos para ayudar a los estados más pequeños contra los invasores bárbaros, e incluso ayudó a restablecer varios estados que habían sido prácticamente destruidos por los invasores extranjeros. Estas acciones consolidaron su lugar como jefe de los estados chinos. Pero al mismo tiempo, el estado sureño de Chu, que permanecía fuera del sistema feudal Zhou, se fortaleció y comenzó a expandirse hacia el norte. Se convirtió en una seria amenaza para todos los demás estados, por lo que, en el 656, el duque Huan lideró un ejército aliado formado por ocho estados del norte contra ellos y los venció en batalla abierta. Con esa victoria, obligó a Chu a negociar y detuvo su expansión por el momento. Pero el mayor éxito del duque de Qi fue una serie de reuniones interestatales. La más importante fue la celebrada en el año 651 en Kuiqui. Allí varios estados importantes acordaron respetar las tradiciones patriarcales de antaño, tratando de detener el caos político cuando se tratase de la cuestión de la sucesión. También acordaron respetar los límites de los demás, preservar los sistemas de riego y promover el comercio de grano, que tenía por objeto mejorar las relaciones con el estado. Pero al mismo tiempo, un acuerdo en Kuiqui estipuló que ninguna oficina administrativa debía ser hereditaria y promovió el sistema meritocrático contra los antiguos ideales feudales.

Desafortunadamente para Qi, el duque Huan murió en el 643 y dejó seis hijos que inmediatamente comenzaron a luchar por la sucesión, a pesar de que su padre había tratado de evitar que ocurriera exactamente eso. Por eso, el estado de Qi perdió su hegemonía y fue sucedido extraoficialmente por el estado de Song, que estaba dirigido por el duque Xiang. Durante un corto período, el estado de Song fue el más poderoso e incluso intervino en los asuntos sobre la sucesión. Pero en el 638, Xiang intentó dirigir su ejército contra el estado de Chu. Fue derrotado y murió un año más tarde a causa de las heridas sufridas en la batalla. Así es como el poder de Song fue destruido. Pero a pesar de que Xiang nunca recibió oficialmente el título de ba del rey Zhou, sus intentos de continuar los pasos del duque Huan llevaron a las generaciones siguientes de chinos a considerarlo como un *hegemon*. Durante el mismo período, el estado norteño de Jin también experimentó reformas bajo el gobierno del duque Wen, y rápidamente se convirtió en uno de los estados chinos más poderosos. Así que, en el 635, cuando el rey Xiang necesitó un aliado para mantener su trono en una lucha con su hermano, Wen se alegró de poder ayudar. Dirigió el ejército aliado contra las fuerzas invasoras de Chu en el año 633 y logró una importante victoria. Eso le ayudó a ganar el título de *hegemon* en el 632.

En sus intentos por mantener un equilibrio de poder, el líder de Jin luchó contra la expansión del estado Qin hacia el este. Pero Duke Wen murió poco después, en el año 628, y el duque Mu de Qin aprovechó este suceso para continuar su expansión. Logró una gran victoria sobre el estado de Jin en el año 624. Al igual que los estados hegemónicos anteriores, Qin también hizo reformas antes de lograr su supremacía, aunque duró poco. Sus tierras centrales se ubicaban en el valle del río Wei, donde antes se encontraba la dinastía Zhou occidental. Logró expandirse tanto hacia las tribus bárbaras al oeste como hacia los estados más pequeños que estaban al este. Una vez más, el duque Mu nunca fue reconocido oficialmente como un *hegemon,* pero la superioridad que mostró hasta su muerte en el 621 hizo que las generaciones posteriores lo reconocieran como tal. A partir de ese momento, parece que ningún estado logró ganar ventaja, ya que todas las escaramuzas entre Qi, Qin y Jin terminaron sin una victoria decisiva. Al poco tiempo el estado sureño de Chu comenzó a avanzar una vez más hacia el norte, bajo el gobierno del autoproclamado rey Zhuang. En el 598, logró derrotar a las fuerzas de Jin e incluso puso en peligro el reino de Zhou. Pero a pesar de que el líder de Chu era el más poderoso de todos los gobernantes, tampoco recibió reconocimiento oficial.

Murió en el 591, y la lucha por el poder continuó en los cuatro estados más poderosos. Todos tenían aproximadamente la misma influencia, especialmente desde que el estado de Jin se unió con el estado de Wu en las partes bajas del río Yangzi. Hasta ese momento, el estado de Yu era visto como bárbaro y no formaba parte del alcance de la civilización china. Pero Jin vio potencial en él y le ayudó con armas y tecnología para que pudiera amenazar al estado de Chu en un nuevo frente. Sin embargo, esto no fue suficiente para detener el poder cada vez mayor de Chu, así que en el año 580 a. C., el estado de Jin logró forjar una vez más una alianza con Qi y Qin para luchar contra la amenaza del sur. Como consecuencia los cuatro estados principales se encontraron en un punto muerto, y el estado de Song, que estaba atrapado entre ellos, los convenció de organizar una reunión al año siguiente. Allí acordaron la paz y el desarme, y limitar sus poderes militares, que es una de las primeras acciones de este tipo de acuerdo. Sin embargo, la concordia fue efímera, ya que en el 575 la guerra a gran escala acabó con una victoria para Jin y sus aliados contra Chu. Bajo el gobierno de un nuevo duque llamado Dao, el estado de Jin vivió un nuevo conjunto de reformas y desarrolló aún más un sistema administrativo meritocrático. Eso le proporcionó estabilidad interna. Sus logros contra los Chu y algunas tribus bárbaras fueron suficientes para que Dao se convirtiera en el próximo ba.

Pero en ese momento, los reyes Zhou perdieron cualquier tipo de respeto a otros duques y gobernantes, por lo que su título de *hegemon* ya no significaba casi nada. Los combates continuaron durante las siguientes décadas. Este tipo de guerra interminable se volvió bastante agotadora, especialmente para los estados más pequeños que sirvieron como campos de batalla para las grandes potencias. Esto condujo a otra reunión de las cuatro grandes potencias en el año 546. Sin embargo, en esta ocasión fueron acompañados por varios estados más pequeños. Allí, en esencia, se acordaron las esferas de influencia de estos estados. Hubo paz entre ellos durante varias décadas y solo se produjeron escaramuzas pequeñas entre sus vasallos. Pero esto no significó de ninguna manera que se hubiera logrado la paz definitiva. Al margen de la tregua en sus fronteras septentrionales, Chu tuvo que luchar en el sur contra los antiguos aliados de Jin, el estado de Wu. Durante mucho tiempo, Wu acosó las provincias limítrofes de Chu, agotando lentamente a su enemigo. En el año 506, el estado de Wu se sintió lo suficientemente poderoso como para lanzar un ataque a gran escala contra Chu, lo que lo llevó al borde del colapso durante los dos años siguientes. Pero antes de dar su golpe final, la capital Wu fue atacada por las fuerzas de Yue, otra nueva potencia en los bordes meridionales del mundo chino.

Esto obligó al gobernante de Wu, que al igual que los gobernantes de Chu ostentaba un título de rey que no era reconocido por los duques de los estados del norte, a apresurarse y defender su tierra. Tuvo éxito, pero murió a causa de las heridas sufridas por la pelea. Su hijo, el rey Fuchai, vengó a su padre en el 494 y obligó al rey de Yue a rendirse ante él. Con fronteras meridionales seguras, el ejército de Wu marchó hacia el norte. Allí lucharon contra las fuerzas de Qi y ganaron. Al mismo tiempo Fuchai intentó construir un canal para conectar la Llanura central, nombre con el que se conoce a la región entre los ríos Amarillo y Yangtsé y los estados del sur. Este fue un desafío directo para Jin, el estado del norte más poderoso, que cedió decidiendo no enfrentarse al poderoso ejército de Wu. Esto llevó al rey Fuchai a presidir una conferencia interestatal el año 482, donde se le otorgó el título de ba. Pero mientras sus ejércitos estaban ocupados en el norte, el rey de Yue lanzó un nuevo ataque a la capital de Wu, lo que llevó al rey de Wu a replegarse hacia el sur una vez más. Su nuevo título no significó nada cuando sus fuerzas fueron derrotadas por el rey Goujian de Yue. Las fuerzas de Yue se retiraron después de un tratado de paz, pero el rey Goujian no quiso dejar que Wu se recuperara de la derrota y lanzó una nueva invasión. En el 473, Wu fue completamente derrotado, y Fuchai se suicidó. Después, Goujian marchó hacia el norte y fue reconocido como el nuevo *hegemon*. Pero este título perdió casi todo su peso, y con su muerte en el año 465 a. C., el sistema ba llegó a su fin.

12. Lanza del rey Fuchai de Wu. Fuente: https://commons.wikimedia.org

Con la desintegración del sistema ba, la desaparición de más de 120 estados pequeños, y la aniquilación total de la autoridad real, el período de primavera y otoño terminó. El año final exacto todavía es debatido entre los historiadores, que manejan los años comprendidos entre el 481 y el 403 a. C. El más comúnmente utilizado es el propuesto por el antiguo historiador chino, Sima Qian, quien dijo que sucedió en el 476. Pero el año no es lo realmente importante, sino la manera en la que cambió la civilización china en esos tres siglos. Tal vez lo más importante es que el viejo sistema feudal familiar fue abolido en gran medida y sustituido por un sistema meritocrático, incluso para cargos oficiales de tribunales superiores y los feudos más importantes, ya que las personas más capaces se convirtieron en ministros que en algunos casos desempeñaron un papel importante en el desarrollo de los estados a los que servían. Y más tarde, como cada vez había menos tierra que dar, fue más difícil que las nuevas familias aristocráticas se recuperaran y se relegaron a un círculo bastante cerrado.

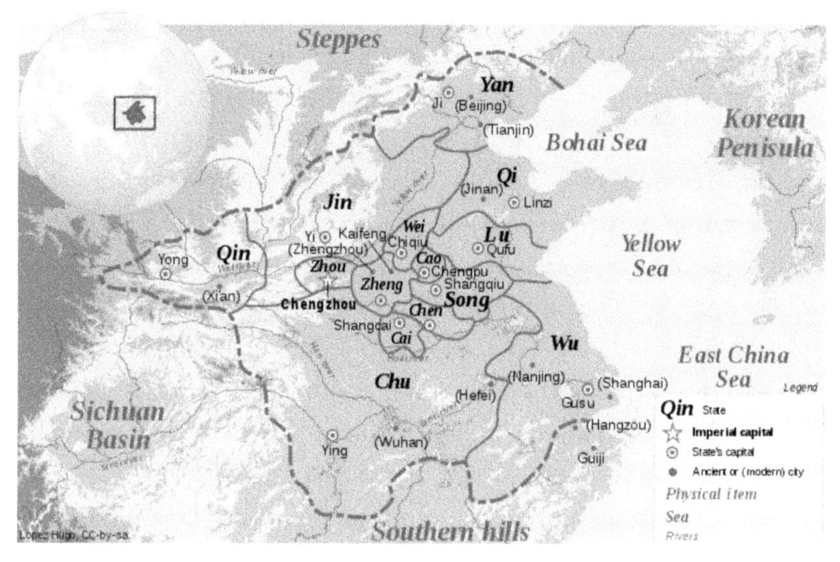

13. Estados del último período de primavera y otoño.
Fuente: https://commons.wikimedia.org

Otro paso hacia el sistema feudal fue el desarrollo de un sistema administrativo avanzado, donde el sistema meritocrático era más útil. Los territorios estatales se dividieron en una serie de regiones administrativas más pequeñas dirigidas por gobernadores que respondían directamente ante la Ley, y cuya oficina no era hereditaria. Fueron ayudados por personal administrativo local, como alguaciles y mayordomos. Esto era importante porque hacía que la recaudación de las tropas fuera más fácil y amplia. Además, ponía ejércitos mucho más grandes a la disposición a los duques y reyes del final del período de primavera y otoño. La razón es que en épocas anteriores solo podían acceder a tropas de su capital, pero ahora toda la tierra estaba a su disposición. Probablemente más importante que eso fue el hecho de que este tipo de sistema administrativo avanzado permitió tener un mejor sistema de tributación con más dinero yendo a parar a las arcas de los gobernantes. Esta medida fue acompañada por la reforma de los impuestos para que la suma que el estado requería dependiera del tamaño de la tierra cultivable. La cantidad de impuestos recaudados también aumentó con el incremento de la producción agrícola que ocurrió durante este período. Esto corrobora la idea de que el viejo sistema feudal estaba fallando. En el antiguo sistema Zhou, en teoría, toda la tierra pertenecía al rey, y los campesinos tenían poco incentivo para trabajar más duro de lo debido. Pero a medida que la autoridad real desapareció, poco a poco los agricultores ganaron el derecho de tenencia y más tarde incluso de propiedad, algo que los hizo más productivos. A esto ayudaron los avances en las técnicas y tecnologías agrícolas que se dieron en este período. Entre otras destaca el aprovechamiento de los animales, principalmente bueyes, para tirar de los arados, lo que permitía hacer zanjas más profundas en el suelo. El uso de herramientas de hierro también favoreció una agricultura más eficiente.

Durante este período China estaba pasando de la Edad del Bronce a la Edad del Hierro, aunque esta transformación aún no se había completado. En ese momento, el hierro todavía era de menor calidad, y se utilizaba principalmente para elaborar herramientas, mientras que el bronce se consideraba "metal fino". Se utilizaba principalmente para hacer para armas y objetos ceremoniales. Pero la tecnología de fundición facilitó la producción en masa de objetos hechos con estos materiales. Se usaban hornos que podían alcanzar hasta 1.300 °C (2.370° F) No es casualidad que durante este mismo período las técnicas de cerámica avanzaran bastante. En la mayoría de las ciudades de este período, los arqueólogos han encontrado restos de talleres de fabricación de bronce y cerámica, lo que significa que estas industrias, si es posible llamarlas así, eran una parte importante de la vida económica en la antigua China. Con excedente de alimentos y nuevos productos "industriales" llegó el auge del comercio, que también se convirtió en una parte importante de finales del período de primavera y otoño. El desarrollo del comercio también impulsó nuevas mejoras de las redes de carreteras que fueron aseguradas y mantenidas por el Estado. El intercambio activo de riqueza material a través del comercio también dio lugar a un importante avance en la civilización china, la aparición de dinero, o para ser más precisos, de las monedas acuñadas. Esto ayudó a mejorar aún más el comercio y la circulación de la riqueza, haciendo que la vida económica en la antigua China fuera más activa y empujando a los estados al crecimiento.

14. Arma de bronce del período de primavera y otoño.
Fuente: https://commons.wikimedia.org

Todos estos cambios fueron acompañados por una evolución en el pensamiento filosófico y político chino. Con una administración estatal cada vez más compleja y necesitando personas cualificadas para dirigirla, los miembros de la élite poco a poco comenzaron a pasar de una clase puramente guerrera a una más intelectual. Gracias al sistema meritocrático los mejores talentos fueron elegidos para servir como oficiales de alto rango y encabezaron el desarrollo intelectual de la antigua China. El mejor ejemplo de esto es, evidentemente, el mundialmente famoso Confucio, que sirvió al estado de Lu y logró crear un código de conducta universal aplicable a todos basado en su interpretación de las tradiciones y las antiguas costumbres feudales. Sus pensamientos se convirtieron en uno de los pilares de la civilización china, y todavía permanece hoy en día. A pesar del tradicionalismo que proclamaba, sus pensamientos eran innovadores y representaban un enfoque más pragmático en el pensamiento político e intelectual chino. Viejas tradiciones, como confiar en chamanes para superar las sequías, y costumbres para mantener la sociedad en línea, se fueron debilitando y perdieron su lugar en la civilización china. En cambio, el confucianismo se basaba en códigos de ley escritos. En general, se podría decir que el pragmatismo comenzó a impregnar a la sociedad china en el período de primavera y otoño. La civilización china se sumió en un proceso de cambio que iban a culminar en la próxima era, hoy conocida como el período de los Reinos combatientes.

Capítulo 4 – El nacimiento de la China imperial

Aunque parecía que el período de primavera y otoño era un conflicto interminable entre los estados chinos, en realidad fue una preparación gradual para una escalada de la guerra que culminó en la siguiente época en la historia china, conocida como el período de los Reinos combatientes porque la esencia de la guerra cambió dando lugar a batallas cada vez más sangrientas y campañas que duraban más tiempo. Bajo esa presión, la naturaleza de los estados también cambió y evolucionaron hacia la territorialidad y la burocracia. Su número se redujo aún más a medida que los más pequeños seguían siendo absorbidos por los más poderosos. Y mientras que en el período anterior solo había cuatro grandes potencias entre los estados chinos, durante esta etapa su número aumentó a siete. Estos eran Qin, Qi, Chu, Yan, Han, Zhao y Wei. Esta era se caracterizó por la guerra a gran escala y las alianzas entre estos estados principales, tres de los cuales eran viejas potencias del período anterior.

Al comienzo probablemente el más influyente de todos era el estado de Qi, situado en las costas del actual mar de Bohai, y que cubre el área de las modernas provincias chinas de Shandong y Hebei. Luego estaba el estado de Chu en el sur, que cubría el área alrededor de los ríos Huai y Yangtsé. En el oeste estaba Qin, situado en la cuenca del río Wei, que más tarde se expandió a zonas de la actual provincia de Sichuan. Más tarde surgió una nueva gran potencia en el norte, alrededor de la actual Beijing, que se llamó Yan. Este estado fue el último en emerger como potencia. Los tres últimos se formaron durante la segunda mitad del siglo V durante un largo proceso hoy conocido como la partición de Jin. Este estado, que durante el período de primavera y otoño fue generalmente el más poderoso, se mezcló en una larga guerra civil que duró del año 458 al 403, cuando tres familias aristocráticas y otros estados fueron reconocidos como iguales por el rey Zhou. El más pequeño de estos estados emergentes fue Han y cubría las partes meridionales de las provincias actuales de Shanxi y Henan. El segundo sucesor de Jin fue el estado de Zhao, situado en las fronteras septentrionales de China, en las fronteras de la actual Mongolia interior y las partes septentrionales de las provincias de Shanxi. Y finalmente, el heredero más poderoso de Jin fue Wei, un estado situado al norte del río Amarillo y en el valle del río Fen, que cubre una zona de la actual provincia central de Shanxi, así como partes de las provincias de Henan y Hebei.

Las primeras décadas del período de los Reinos combatientes estuvieron marcadas por nuevas reformas que comenzaron en el siglo anterior y que transformaron a las regiones chinas en estados regidos por un gobierno. Esto significaba que los duques se convirtieron en la única fuente de autoridad en sus estados. Los últimos estados en adoptar este tipo de centralización del poder fueron Qin, en el siglo IV, y Yan, a finales de ese siglo. Una excepción fue el estado de Chu, que mantuvo una fuerza mixta entre la ley central y la autoridad real. Esta debilidad estaba compensada por el gran tamaño de este estado del sur, que siguió siendo el más grande. Por supuesto, este período también estuvo marcado por guerras y escaramuzas entre los principales estados y sus expansiones, tanto a través de la conquista de los estados más pequeños como a través de la expansión en el "desierto bárbaro". El primer estado en beneficiarse de las reformas fue Qi, que a mediados del siglo IV logró consolidarse como el estado más fuerte después de victorias significativas sobre Wei y Yen. Pero el resultado más importante de estas victorias fue el hecho de que en el año 344 los gobernantes de Qi y Wei se reconocieron mutuamente como reyes,

demostrando finalmente que la dinastía Zhou había perdido sus últimos resquicios de poder. A partir de este momento, todos los estados se enzarzaron en una lucha por convertirse en el nuevo gobernante supremo de todos los estados chinos.

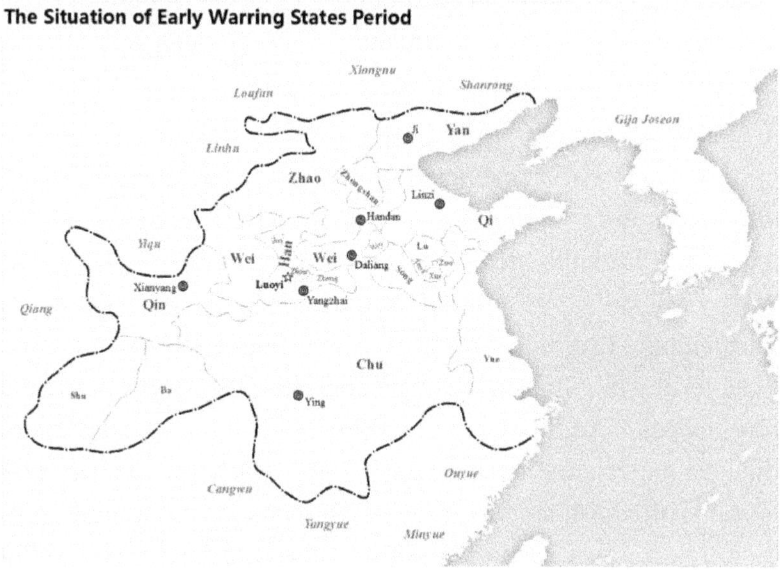

The Situation of Early Warring States Period

15. Mapa de China en el período temprano de los Reinos combatientes. Fuente: https://commons.wikimedia.org

El estado gobernante más importante de Wei estaba pasando por un período de crisis, ya que el poderoso Qin comenzó a atacarlo desde el oeste. Sufrió varias derrotas a mediados del siglo IV y tuvo que pedir ayuda a Qi para evitar que Qin lo conquistara por completo en el año 340. De esta manera Qin y Qi se convirtieron en los dos estados más poderosos de la antigua China. En el año 325, el gobernante de Qin también se proclamó rey. Los gobernantes de

Han, Zhao y Yan siguieron su ejemplo durante los dos años siguientes. Los gobernantes de Chu tenían el título no reconocido de reyes desde el siglo VII, y a partir de este momento todos los estados principales fueron considerados oficialmente reinos. La poca dignidad que les quedaba a los reyes Zhou fue destruida en los años siguientes, cuando los gobernantes de estados más pequeños, como Song y Zhongshan, también se proclamaron reyes. Curiosamente, tras una considerable derrota de Zhao en una guerra con Qin en el año 318, el rey de ese estado se retractó de su proclamación, y rebajó su título al rango de duque. A pesar de eso, su hijo y sucesor conservaron la insignia de rey. Mientras tanto, en el sur, el estado de Chu conquistaba a su único contendiente en el valle del río Yangtsé, el estado de Ti, fortaleciendo así su posición.

A finales del siglo IV y principios del III, el estado de Qin creció hasta convertirse en la potencia número uno en China. Ningún otro estado, ni siquiera Chu o Qi, podría hacerle frente en una pelea directa. Este aumento del poder no solo provino de las reformas estatales y militares. Fue sobre todo el resultado de la expansión de la actual Sichuan. Esta tierra en la región superior del río Yangtsé era bastante fértil y dio un impulso a la economía de Qin proporcionando nuevas tropas. Además, sus tierras estaban protegidas por las cordilleras, especialmente los nuevos territorios, por lo que casi no sufrieron daños por las invasiones extranjeras. Y finalmente, por su ubicación geográfica, Qin solo podía luchar en dos frentes: yendo al este hacia el río Amarillo y la Llanura Central o bajando por el río Yangtsé para amenazar las tierras centrales de Chu. Esto llevó a otros estados a revisar sus tácticas y diplomacias. Se dieron cuenta de que la amenaza de Qin era demasiado grande para ganarles la batalla de manera individual; así comenzó el siglo de alianzas. Las dos doctrinas diplomáticas principales fueron las llamadas alianzas verticales y horizontales. Las alianzas verticales involucraban a los estados en el eje norte-sur para actuar unidos contra los Qin. La alianza horizontal consistía en que los estados se aliaban con Qin para cosechar los frutos de su supremacía y para proteger sus tierras de los ataques.

Pero esto no significa que Qin fuera imbatible. Aunque el primer ataque aliado en el año 318 fue un fracaso, la crisis de sucesión en el 307 debilitó la posición de Qin. El rey Min de Qi aprovechó esta situación y lideró un ataque de aliados contra Qin en el 298. Después de unos años de lucha, Qin se vio obligado a ceder y pidió paz. A cambio cedió parte de sus territorios occidentales a Wei y Han. Continuando con ese éxito, Qi atacó Yen y Chu y logró un corto período de restauración del poder Qi. Después de algunas luchas internas, Qi abandonó su alianza con Wei y Han y tiempo logró una tregua temporal con Qin. Varios años más tarde, en el 288, los reyes de estos dos estados se reunieron, y por primera vez en la historia china se declararon di (emperadores) del oeste y el este, un título que en el pasado se otorgaba solo a gobernantes semidioses mitológicos. Este hecho constituyó una clara declaración política sobre el objetivo final de cada rey que luchó en la última etapa del período de los Reinos combatientes. Los dos autoproclamados emperadores conspiraron para atacar a Zhao, pero Min de Qi fue persuadido por otros para no hacerlo porque eso solo beneficiaría a Qin. Así que se quedó fuera de la alianza y formó un ejército nuevo, esta vez dirigido contra Qin.

El gobernante de Qin, Zhao, se vio obligado a renunciar a su nuevo título y a los territorios de Wei y Zhao que había anexionado. Al año siguiente, Qi conquistó Song, uno de los últimos estados más pequeños que quedaban. Este crecimiento era demasiado significativo para ser ignorado por otros estados, y en el año 284, Qi fue atacado simultáneamente por Yen, Qin, Zhao, Wei y Han. Chou se declaró aliado de Qi, pero solo para recuperar las tierras que había perdido alrededor del río Huai. Qi sufrió una derrota total con la muerte del rey Min y la destrucción de todos sus ejércitos. Los territorios Qi fueron ocupados hasta el 279, cuando lograron recuperarlos, pero Qi nunca más fue capaz de alcanzar su antigua potencia. Este cambio de poderes y alianzas fue utilizado por el estado de Zhao, que estaba alternando su lealtad entre Qi y Qin. Y logró expandir sus territorios a expensas de Wei y Qi. Esta expansión, junto con las reformas militares, impulsó Zhao hasta convertirlo en el estado más poderoso de la siguiente década. logrando varias victorias sobre Qin en 269. Estas derrotas hicieron que el rey Zhao de Qin cambiara sus políticas estatales y su filosofía de guerra.

16. Estatua de un soldado de Qin. Fuente: https://commons.wikimedia.org

Sus asesores le señalaron que luchar únicamente por la supremacía y librar la guerra contra el oponente más fuerte era inútil, como habían comprobado con Qi y Zhao. Así, el rey de Qin decidió abandonar el antiguo sistema de alianzas en favor de la diplomacia basada en la máxima "alianza con lo distante y la guerra con el vecino". Esta forma de pensar tenía como objetivo lograr la expansión irreversible de un Estado, con todas las ganancias de territorio nuevo pertenecientes únicamente al rey, no a sus generales o vasallos. El único objetivo de la guerra para Qin se convirtió en ganancia territorial. Además, declaró su política de atacar no solo las tierras del enemigo, sino también a la gente. Esto significaba que el objetivo final, además de la expansión del estado, era aniquilar ejércitos rivales para que los estados enemigos perdieran cualquier capacidad de lucha. Pero este tipo de pensamiento militar no se desarrolló de la noche a la mañana. A lo largo de dos siglos los ejércitos habían crecido lentamente desde los 30.000 al comienzo de esta era hasta alcanzar los 300.000 en las últimas décadas. Los estudiosos hoy en día suponen que estos registros eran exagerados, pero muestran claramente un aumento en la escala de la guerra. El número de víctimas también se incrementó; se contaron decenas de miles de muertos y heridos.

Pero este alto número de soldados caídos no solo se puede explicar por el tamaño de los ejércitos. Las campañas duraban años y no solo una temporada. Los soldados portaban armas de hierro y armadura, ya que era más barato y más duradero que el bronce. Se adaptaron nuevas innovaciones, como el uso de caballería y ballestas. Y en general, hubo un avance sustancial en la teoría militar que está reflejado en varios escritos importantes al respecto. Al mismo tiempo, los fuertes y muros defensivos alrededor de las ciudades se convirtieron en una costumbre, y con ellos se desarrollaron varias técnicas de asedio, desde catapultas de tracción hasta túneles de excavación bajo los muros. Las batallas y asedios se hicieron largos, y los restos de caballería feudal se perdieron a mediados del siglo III. Esto se ve mejor en el ejemplo de Bai Qi, un general Qin de esta época que llegó a ser conocido como Ren Tu (carnicero humano). En su trigésimo año de carrera fue responsable de la muerte de al menos 900.000 soldados enemigos. Algunas fuentes incluso llegan hasta los dos millones, aunque esto es probablemente una exageración. El primero en soportar el ataque de Qin en el 265 fue Han, que en ese momento era el estado sobreviviente más débil y el vecino inmediato de Qin. Se dirigieron a Zhao en busca de ayuda y este estado se la proporcionó inmediatamente. La guerra se prolongó y se mantuvo en punto muerto hasta que Qin logró una gran victoria en el 260. Aunque parecía que Qin estaba al borde de la victoria final, el agotamiento y la pérdida de varios generales importantes detuvo su expansión.

17. General Bai Qi de Qin. Fuente: https://commons.wikimedia.org

El siguiente paso para el rey Zhao de Qin fue un ataque directo contra la dinastía Zhou en el año 256 a. C. Ningún otro estado fue capaz o estuvo dispuesto a ayudar, y las tierras Zhou fueron conquistadas y anexadas por Qin. Así es como terminó la dinastía Zhou. Poco después el rey Zhao murió y se sucedieron dos gobiernos cortos hasta que, en el 247, Zhao Zheng se convirtió en el nuevo rey de Qin. En ese momento, solo tenía 13 años, por lo que tuvo regentes para gobernar en su lugar hasta el 235. En los primeros años de su gobierno, su preocupación fue asegurar el trono mientras se enfrentaba a rebeliones. Después comenzó a preparar sus ejércitos para una última gran campaña. La máquina militar Qin estuvo lista en el 230 y una vez más, Han era el objetivo a derribar. Más tarde, en el año 228, Zhao Zheng envió a sus ejércitos contra los Zhao, y en el 226 invadió partes de Yan. En el 225, Wei cayó y los ataques se dirigieron hacia Chu, el estado más grande que todavía estaba en pie. Pero en el 223 se sometió sin mucha resistencia. El año siguiente, Qin conquistó los territorios restantes de Yan en el norte. Y en el 221, derrotó Qi, el último estado libre. Después de más de dos siglos de grandes guerras, batallas masivas e innumerables escaramuzas, Zhao Zheng tardó menos de una década en lograr la victoria completa. Coronó su victoria asumiendo el título de emperador *huangdi*, que él mismo había creado. Llegó a ser conocido como Qin Shi Huangdi, o el primer emperador de Qin. Este suceso marcó el fin de la unificación y el nacimiento de la China imperial.

18. Ilustración de Qin Shi Huangdi del siglo XIX.
Fuente: https://commons.wikimedia.org

La antigua China tuvo que vivir episodios bastante sangrientos y dolorosos para dar a luz a su primer imperio, pero sería injusto hablar de este período marcado únicamente por guerras. Con presiones constantes desde fuera y desde dentro, los estados chinos y la civilización en su conjunto lograron avances bastante impresionantes en casi todos los campos. En primer lugar, las mejoras tecnológicas, impulsadas por las necesidades de la guerra, estuvieron marcadas por el uso de hierro en lugar de bronce. Continuando con las antiguas tradiciones ligadas al bronce, el hierro también fue fundido. Esto hizo posible que los metaleros chinos produjeran en masa sus productos. Este avance fue importante tanto para las armas como para varias herramientas, ya que se generalizaron y fueron lo suficientemente baratas como para que la mayoría de la gente pudiera usarlas. Uno de los nuevos usos más provechosos fue en la agricultura, ya que se consiguió un aumento en la producción de alimentos. También se empleó en proyectos de riego a gran escala, con mayor capacidad logística que los de los gobiernos centrales. Por lo tanto, el período de los Reinos combatientes no estuvo solo marcado por matanzas causadas en las guerras, sino que también fue una época de gran expansión de la población. Este hecho también es importante para explicar la razón por la que las guerras fueron tan masivas, simplemente había más gente a la que atacar.

Sin embargo, los avances no se detuvieron ahí. También se perfeccionó la producción de seda, lo que marcó el comienzo de lo que podríamos llamar la industria textil. Además, el transporte mejoró a medida que los carros con yugos dieron paso a los vagones con ejes y arneses de pecho, permitiendo a los caballos y otros animales de remolque llevar mayores pesos. Al mismo tiempo, también se innovó en la construcción naval. Con la mejora de la producción en varios campos, los avances en el transporte y la ya mencionada implementación del dinero, el comercio también floreció en el período de los Reinos combatientes. Los comerciantes se hicieron más ricos y ocuparon rangos más importantes en la sociedad. Algunos incluso lograron obtener oficinas de alto rango en la corte. Las grandes ciudades y capitales ya no eran solo centros de poder político, sino también centros de fabricación y comercio.

Sin embargo, no todos los avances en este período fueron materiales. La expansión del comercio impulsó mejoras en las matemáticas aplicadas y la aritmética. Con las presiones y cambios sociales llegó la proliferación del pensamiento filosófico. Los más notables fueron el confucianismo defendido por Mencio, el taoísmo representado por Lao Tzu, el legalismo defendido por Shang Yang y el mohismo defendido por Mozi. Estas escuelas de filosofía eran y siguen siendo una parte integral de la civilización china y de la forma de pensar y entender el mundo. También se hicieron avances en las artes, tanto materiales como intelectuales, desde la creciente importancia de escritos, poemas y libros, hasta los impresionantes trabajos artesanales de pintores y escultores. Durante el período de los Reinos combatientes, la civilización china logró dar un importante salto adelante, superando a muchas, si no a todas, culturas contemporáneas.

Sobre estas bases se construyó el primer imperio chino de la dinastía Qin. Con la unificación y el establecimiento de un nuevo sistema, Qin Shi Huangdi dio el golpe de muerte al sistema feudal. A partir de ese momento solo le interesaban personas con talento para trabajar en su sistema administrativo puramente burocrático, basado únicamente en las leyes y la legalidad y no en las tradiciones y el parentesco. En lugar de dar tierras conquistadas a su familia y aliados, dividió todo el imperio en 36 provincias que se dividieron en condados. Estas provincias estaban gobernadas por tres altos cargos: gobernador civil, comandante militar e inspector imperial, que actuaba como representante inmediato del emperador. Y ninguna de estas oficinas eran hereditarias. Además, el emperador se dio cuenta de que para que su gobierno fuera eficiente tenía que estandarizar todos los aspectos de la vida pública, como la moneda, las medidas, el idioma y el sistema de escritura y detalles como el ancho de los ejes de los carros. Con un sistema tan organizado, el imperio Qin era suficientemente capaz de ejercer un enorme nivel de control sobre su población. Hizo obras públicas a gran escala, como la construcción de carreteras, grandes canales, fuertes y palacios. La grandeza de su poder tiene tuvo su reflejo en la construcción de los dos monumentos más reconocibles de la antigua civilización china, que se admiran incluso hoy en día. Uno es, por supuesto, el conjunto de los Guerreros de terracota, una réplica de todo un ejército con soldados de tamaño natural y muy detallados que formaban parte de la tumba del primer emperador. El segundo es la ahora mundialmente famosa Gran Muralla China. Qin Shi Huangdi ordenó construirla para que las diversas fortificaciones erigidas por los estados durante períodos anteriores se conectaran con el fin de proteger la dinastía Qin.

Con un gobierno estatal tan poderoso, junto con un ejército bien entrenado y experimentado y una economía en auge, el primer emperador chino trató de expandir su reino. Primero, en el 215, envió a su general a hacer campañas en el norte y conquistó la región de Ordos y partes de Mongolia interior. Con las fronteras asegurada en el norte, en el 214 centró su atención en el sur, donde envió la mayoría de sus ejércitos. Sus ejércitos lograron la primera victoria en una larga y dura campaña contra las tribus del sur, que empleaban tácticas de guerrilla de la selva. Y llegaron hasta Hanoi, en el actual Vietnam. Con esas victorias, Qin Shi Huang conquistó y colonizó grandes partes de las actuales provincias de Guangdong, Guangxi y Fujian. La mayoría de los colonizadores eran en realidad prisioneros, exiliados y pobres que fueron enviados para instruir a la población local con las costumbres de la civilización china y así facilitar el dominio imperial. Pero a pesar de estas victorias y sus otras reformas administrativas, Qin Shi Huangdi siguió siendo bastante impopular, ya que era visto como un tirano totalitario. Sus castigos eran crueles, y mostró poca misericordia. También fue criticado por asesinar a eruditos que trataban de criticarlo y quemó libros que trataban sobre la historia y las filosofías de épocas anteriores. Así que, cuando murió en 210, no se derramaron muchas lágrimas por él.

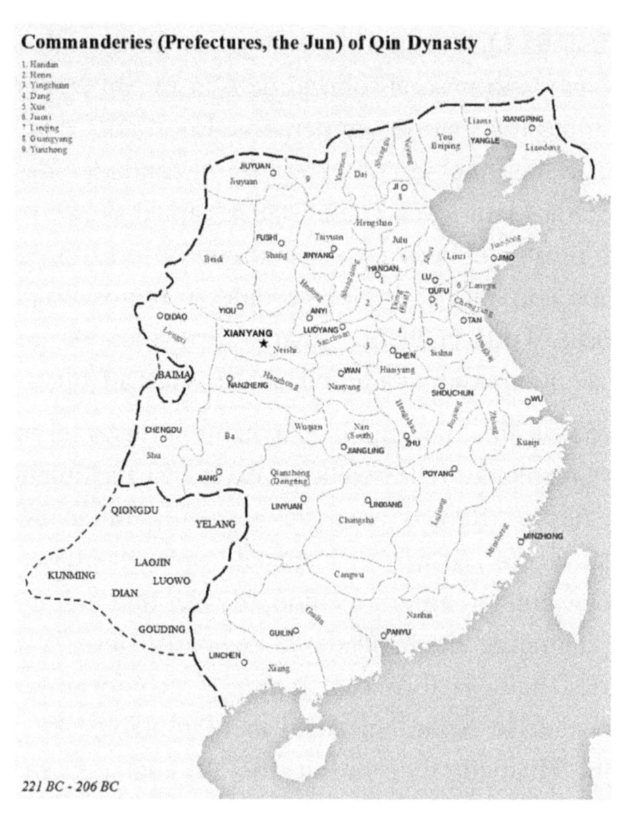

19. Mapa del imperio de la dinastía china Qin.
Fuente: https://commons.wikimedia.org

Justo después de su muerte los ministros comenzaron a conspirar y pusieron a su hijo más débil en el trono, conocido como Qin Er Shi. Los ministros de su padre lo utilizaron como marioneta y empeoraron el régimen. Como el nuevo emperador carecía de la autoridad de su padre, las rebeliones estallaron rápidamente tanto en las tierras conquistadas como entre los ejércitos Qin. Pronto se demostró que sin el liderazgo adecuado el imperio Qin y sus ejércitos no serían capaces de hacer frente a las revueltas internas. El segundo emperador trató de defenderse, pero sus ejércitos perdieron todas las batallas, y finalmente en el 207 sufrieron una derrota crucial en el corazón del estado de Qin. En ese momento, el canciller Zhao Gao decidió que ya no era útil para él y le obligó a suicidarse. Este fue el final de la dinastía Qin, el estado y el imperio, aunque algunas fuentes dicen que Zhao Gao puso al sobrino de Qin Er Shi en el trono, pero como un simple rey y no un emperador. En el año 206, un rebelde llamado Liu Bang, que se convertiría en el fundador de una nueva dinastía llamada Han, logró conquistar la capital de Qin, capturar al rey y ganar prestigio. Pero en ese momento, todo el estado chino volvió al caos con varios estados rebeldes y reinos proclamando la independencia. Todavía le quedaban varios años de guerra a Liu Bang antes de que pudiera para unir una vez más a China.

A pesar de un final tan rápido y bastante indigno, el imperio Qin representa el resultado de la evolución de la civilización china durante el período de los Reinos combatientes. Y a pesar de todos los defectos del corto gobierno imperial, creó la base de cómo funcionaría el futuro imperio chino, desde una administración y burocracia altamente desarrolladas a través de leyes y mediciones estandarizadas, hasta la forma en la que el propio emperador sería visto y representado como autoridad incuestionable. Así, a pesar de que Qin Shi Huangdi fue considerado un mal gobernante, y fue criticado por su falta de moralidad y su temperamento violento, muchos futuros emperadores copiaron su sistema burocrático y partes de su ideología real, convirtiendo este período en uno de los más influyentes de la historia china.

Capítulo 5 – Ascenso y caída de la dinastía Han

Con la caída de Qin llegó el surgimiento de la primera verdadera dinastía imperial de la antigua China. Esta dinastía tomó lo mejor de sus predecesores y se basó en su legado para crear un período que es ampliamente considerado como una de las edades doradas de China. Bajo el gobierno Han, la economía siguió creciendo, culminando con la creación de la Ruta de la Seda que conectaba China con el Mediterráneo. La tecnología y la ciencia también mejoraron y se lograron muchas invenciones, como el papel y los timones de los barcos, que supusieron un adelanto esencial para el avance de todo el mundo. Este recién adquirido poder del imperio chino se mostró en conquistas militares que expandieron las fronteras de China en casi todas las direcciones posibles. Fue de hecho la era de la prosperidad y el avance en la historia china. Pero para los contemporáneos del primer emperador Han, no parecía que el futuro fuera tan brillante.

A medida que las revueltas contra el gobierno Qin se multiplicaban, surgieron más facciones rebeldes entre las que destacaron dos. Una fue dirigida por el ya mencionado Liu Bang, que provenía de un origen modesto y sirvió como alguacil local en la primera dinastía imperial. La segunda fue comandada por Xiang Yu, que descendía de una familia noble. Yu había liderado una rebelión en el antiguo estado Chu después de la muerte de su tío en la batalla. Al principio Xiang Yu fue más influyente y exitoso y venció a los ejércitos Qin en batallas abiertas, lo que hizo que ganara prestigio entre otras fuerzas rebeldes. Pero para su consternación, Liu Bang lo venció en la carrera por la conquista de la capital de Qin y puso fin a su dinastía. En ese momento, los dos todavía eran aliados luchando contra el antiguo régimen, pero Xiang Yu se inquietó y comenzó a envidiar el éxito y prestigio de Liu. Sin embargo, Liu permaneció leal a Xiang, que era el líder de facto de la rebelión. Parece que dudaba de que el sistema de gobierno de Qin fuera a funcionar a su favor, por lo que dividió China en dieciocho reinos más pequeños y los distribuyó. Al mismo tiempo, Xiang Yu se adjudicó el título de *hegemon*, ya que a pesar de no ser el primero en llegar a la capital, seguía siendo el más fuerte e influyente entre los rebeldes. De esta manera recreó el antiguo sistema del período de primavera y otoño. En la división de tierras, Xiang le dio a Liu Bang un pequeño y remoto feudo llamado Hanzhong para intentar sacarlo de la etapa política. Por supuesto, Liu se sintió traicionado y rápidamente se levantó para desafiar la hegemonía de Xiang Yu.

Primero retomó el control del antiguo estado de Qin y desde allí comenzó a conquistar reinos vecinos. Se produjo un conflicto abierto entre los dos líderes. El éxito cambió de bando, ya que ninguna de las facciones pudo lograr una victoria decisiva o ganar una ventaja considerable en la lucha. Finalmente, ambas facciones agotaron sus reservas y necesitaron recuperarse, por lo que, en el 203, Liu Bang y Xiang Yu acordaron un armisticio. Unos meses más tarde, en el 202, Liu reanudó las hostilidades, y esta vez logró una victoria completa en la batalla de Gaixia. Su trofeo más importante el suicidio de Xiang Yu. Era el único capaz de enfrentarse a Liu. Y después de su muerte, todos los demás reinos se sometieron a Liu, que fue proclamado el nuevo emperador. Según la tradición china, su dinastía tomó el nombre de su feudo y se hizo conocido como la dinastía Han. El propio Liu Bang se hizo conocido como el Emperador Gaozu. El nuevo gobernante de esta China unida optó por, en la mayor parte, seguir las leyes y regulaciones de los reyes Qin precedentes, aunque redujo los impuestos y los gravámenes militares para ayudar a la población a recuperarse de la guerra civil y ganar el favor de sus súbditos.

Pero la decisión de Xiang de dividir el estado Qin en dieciocho reinos tuvo grandes repercusiones en el sistema administrativo de los primeros Han. En el oeste, cubriendo menos de la mitad del imperio, el emperador controlaba directamente el territorio a través de los comandantes, emulando el aparato burocrático Qin. Pero las partes orientales se dividieron en diez reinos vasallos, que eran demasiado grandes y estaban dirigidos por generales que habían demostrado que podían ser conquistados fácilmente. Esto amenazó el gobierno del emperador Gaozu. Por lo tanto, poco a poco depuso a estos reyes, a veces pacíficamente y otras a veces por la fuerza. Y entregó las coronas a los miembros de su familia, ya que vio beneficios administrativos en estos reinos. De esta manera consiguieron pacificar a la población local y aliviar el peaje del aparato del gobierno central. En el año 195, solo uno de estos reinos no estaba gobernado por un miembro de la familia Han. Otra razón por la que eran útiles, al menos cuando se trataba de las fronteras del norte, era que representaban la primera línea de defensa contra las tribus del norte, que habían creado una confederación entre ellas conocida como Xiongnu. Gaozu trató de pacificar a los bárbaros en el 200, pero fue derrotado, y vio que la única salida era rendirles tributo y entregar la mano de una princesa a su líder. Así comenzó una práctica diplomática llamada *heqin* por la cual se utilizaba el matrimonio como una herramienta para apaciguar a los vecinos que eran demasiado poderosos.

20, Emperador Gaozu de la dinastía Han.
Fuente: https://commons.wikimedia.org

Pero, aun así, las primeras décadas de la dinastía Han no fueron estables en absoluto. Varios reyes vasallos se rebelaron después de que el emperador Gaozu intentara reemplazarlos. Y después de una batalla contra uno de ellos, murió en el 195, dejando a un hijo bastante débil para sucederlo. En ese momento, la persona más importante en el estado chino se convirtió en su viuda, Lü Zhi, ahora viuda emperatriz. Como regente de su hijo, comenzó a dar títulos, oficinas y otras posiciones del gobierno a miembros de su propio clan. Esto antagonizó a otros miembros de la familia Han, pero ella permaneció en el poder hasta su muerte en el 180. Bajo su atenta mirada, tres emperadores cambiaron en el trono, dos de ellos eran sus nietos, pero ninguno demostró ser capaz de alejarse de su influencia. De hecho, justo antes de su muerte, uno de los reyes vasallos de la familia Han estaba listo para iniciar otra guerra civil, mientras que las tribus del norte una vez más atacaron los territorios chinos. Pero sin su liderazgo, la oposición a los reyes Han era casi inexistente, y su golpe causó poca perturbación, ya que el clan Lü tenía poco apoyo. También depusieron al cuarto emperador de la dinastía Han, ya que solo era visto como el títere del clan Lü, y surgió la pregunta de quién heredaría el trono imperial. En lugar de guiarse por la veteranía, tres reyes Han eligieron al candidato más adecuado entre ellos, Liu Heng, el hijo de Gaozu, como el más virtuoso. Y se convirtió en el Emperador Wen.

De manera rápida se hizo evidente que era una buena opción, ya que sus políticas eran benévolas y tenían como objetivo mejorar la vida de sus súbditos. Rebajó los impuestos, creó ayuda gubernamental para las personas necesitadas y estableció castigos menos duros por violar la ley. Bajo su gobierno, las enseñanzas liberales taoísas impregnaron la ideología del gobierno central. El emperador Wen también reconoció la amenaza de la confederación Xiongnu, y volvió a utilizar la política *heqin* para lograr la paz en las fronteras del norte. También fue lo suficientemente sabio como para darse cuenta de que los grandes reinos eran una amenaza interna constante, por lo aprovechó las ocasiones en las que los reyes morían sin un heredero para reducir el tamaño de los reinos sin causar muchas revueltas entre sus vasallos. Su reinado pacífico y exitoso, que duró hasta el 157, fue exactamente lo que la dinastía Han necesitaba para estabilizar su lugar en el trono. Los efectos de su reinado se ampliaron aún más por la sucesión pacífica y el gobierno de su hijo, el emperador Jing, quien continuó las políticas de su padre, reduciendo aún más los impuestos y los castigos penales. También mantuvo la estrategia de reducir los reinos, que finalmente provocó una rebelión fallida de siete reinos en el 154. Después de la victoria del Emperador Jing, sobrevino la autoridad y el poder de los reinos vasallos y la creación de nuevas regiones.

El resultado final de estos cambios administrativos llevados a cabo por los dos emperadores se puede valorar por el aumento significativo de la autoridad del gobierno central. En el año 179 había 19 comandantes y 11 reinos relativamente grandes. Y en el 143, había 40 comandantes y 25 reinos más pequeños. El emperador Jing murió en el año 141, dejando un imperio estable y bastante rico a su hijo, el emperador Wu (a veces llamado Wudi). Los primeros años de su largo reinado estuvieron marcados por una serie de reformas, ya que el nuevo emperador vio defectos en la ideología taoísa y en la dependencia excesiva de la clase noble, que se hizo fuerte bajo el gobierno de Wen y Jing. A pesar de alguna oposición temprana a sus planes, Wu logró seguir adelante con ellos. Restituyó el sistema meritocrático en la burocracia gubernamental y dejó espacio para personas de clases bajas con talento, que eran instruidas en el pensamiento confuciano y tradicionalista. También continuó con los cambios administrativos de sus predecesores, reduciendo el tamaño de los reinos y comandantes y limitando así aún más el poder de los nobles locales. El emperador Wu también creó un puesto de inspectores regionales, que representaban al emperador y mantenían a los reyes, gobernadores y otros funcionarios bajo control. Este fue un intento de limitar la corrupción y aumentar la eficiencia del sistema gubernamental.

21. Retrato tardío del emperador Wu. Fuente: https://commons.wikimedia.org

El emperador Wu cambió las políticas económicas, aboliendo los principios taoístas que se estaban utilizando y añadiendo nuevos impuestos. También trató de acuñar dinero y controlar la minería y la producción de sal a través del estado, ya que los monopolios en esas industrias daban más poder y riqueza al estado. Su gobierno también trató de organizar otras partes de la vida económica, como el comercio, el transporte y los precios. Wu se dio cuenta de que la agricultura era la principal fuerza motriz de la economía china, por lo que su gobierno trató de estimularla, sin demasiadas regulaciones, lo que condujo a la creación de una gran clase de terratenientes. Esto fue cuestionado por algunos, ya que condujo a un nuevo aumento de la desigualdad. Pero a Wu eso le importaba poco; necesitaba aumentar los ingresos de su tesorería para alimentar sus campañas y conquistas. Su objetivo era expandir su imperio en dos direcciones principales.

Primero hacia el sur y al suroeste, conquistando los reinos de Nanyue y Minyue. Estas campañas fueron en cierto modo una réplica de las de Qin, pero con resultados más permanentes, ya que las regiones desde el Fujián moderno hasta el norte de Vietnam y las partes orientales de Yenan quedaron bajo el control del imperio chino. Aproximadamente al mismo tiempo, el emperador Wu se percató de que los Xiongnu representaban demasiada amenaza, por lo que sus segundas campañas se dirigieron hacia el norte y el noroeste.

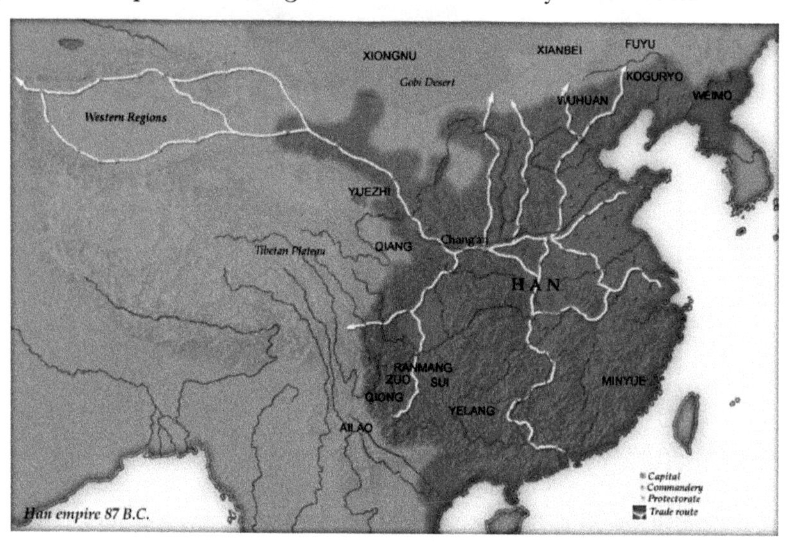

22. Imperio Han en el 87 a. C. Fuente: https://commons.wikimedia.org

Los ejércitos chinos también tuvieron éxito allí, y expulsaron a los bárbaros del norte y expandiendo sus territorios. Pero debido a los informes de sus subordinados, que le ilustraban sobre la importancia del comercio con países lejanos que eran tan ricos como China, el emperador Wu decidió llevar su conquista más lejos hacia el oeste, hasta el desierto de Gobi y Asia Central. Estas conquistas ayudaron al establecimiento de la Ruta de la Seda, una ruta comercial que conectaba China con el imperio parto y el Mediterráneo, y facilitaba el comercio a lo largo de ella. La mayoría de estas conquistas se lograron entre el 138 y el 110, aunque la lucha contra los Xiongnu continuó durante las décadas posteriores. En los años finales del siglo

II a. C., las fuerzas chinas también lograron conquistar las partes septentrionales de la península de Corea, lo que marcó el fin de la política de expansión del emperador Wu. Aunque logró una vasta expansión territorial, fue una empresa bastante costosa tanto en vidas humanas como en dinero. En los últimos años de su reinado se centró en asegurar sus conquistas y estabilizar los asuntos internos de su imperio. Era evidente que la carga de la guerra pesaba sobre el pueblo y las disputas dinásticas comenzaron a surgir lentamente, culminando con la revuelta del hijo y heredero de Wu, el príncipe Ju, en el año 91/90. Como resultado, Wu dejó su trono a su hijo menor, que solo tenía seis años cuando el emperador murió después de haber gobernado durante 54 años. Este récord no fue roto por otro emperador chino hasta 1.800 años después.

Al final, el gobierno del emperador Wu fue visto como una mezcla de aspectos positivos y negativos. Elevó los impuestos y asfixió a su pueblo con una larga guerra. Y a pesar de sus proclamas de confucianismo, basó su sistema administrativo en el legalismo de Qin, gobernando de manera similar al primer emperador. Por otro lado, logró expandir China a territorios que siguen parte del país hasta día de hoy. También impulsó el comercio internacional y logró fortalecer la autoridad del gobierno central. Ya sea visto como un gobernante bueno o malo, lo cierto es que impulsó a la China Han al nivel de una potencia mundial. Pero después de su muerte llegaron dos emperadores menos capaces, que permanecieron bajo una fuerte influencia de su regente, Huo Guang. El primero de ellos, el hijo menor de Wu, murió de causas naturales en el 74, y el otro fue depuesto por Huo, ya que fue declarado no apto para gobernar ese mismo año. Huo entonces eligió al emperador Xuan para el trono, y continuó desempeñando un papel importante en el estado hasta su muerte en el 68. Esos veinte años que estuvo a cargo los pasó bajando los impuestos y las cargas sobre el pueblo, y continuó la expansión del imperio en Asia Central, pero mantuvo un gobierno estricto, casi despótico. Y como tal, los historiadores posteriores le dieron crédito por ser un administrador capaz que actuó en interés de la dinastía, pero que se excedió en su autoridad y gobernó con bastante dureza.

Pero su muerte y la purga de todo su clan de la administración estatal en el año 66 cambiaron el curso de la política china. El emperador Xuan redujo aún más el gasto al detener todas las campañas militares y recurrir a la diplomacia y la colonización para proteger los territorios ganados. También se abstuvo de un estilo de vida extravagante, dedicándose a gobernar lo mejor que pudo y promoviendo el confucianismo como la ideología del estado. Pero poco a poco, los oficiales administrativos comenzaron a ganar poder, ya que el emperador carecía de mano firme para imponerse. Esta tendencia continuó e incluso empeoró después de su muerte en el 49, bajo el reinado de su hijo, el emperador Yuan. El faccionalismo apareció entre los funcionarios, con varios grupos luchando por la supremacía, lo que debilitó el gobierno central. Durante el gobierno de Yuan, algunos de los antiguos reinos resucitaron, aunque por un corto período. Las leyes se volvieron menos duras y el control económico del estado disminuyó. Sin embargo, hubo algunos intentos de dividir tierras de grandes terratenientes para hacer la sociedad china más igualitaria. Pero al final, eso fracasó. En política exterior fue pacífico, como su padre, aunque hubo algunos combates cuando los bárbaros del norte se rebelaron una vez más. El estado chino, junto con sus emperadores, se suavizó e incluso abandonó algunas de las tierras conquistadas.

El estado de la dinastía Han empeoró con el ascenso del hijo de Yuan, Cheng. Llegó al trono en el 33, y sus intereses eran perseguir a las mujeres y disfrutar de la vida en lugar de gobernar el imperio. Durante su mandato, el clan Wang comenzó a aumentar su poder e influencia en la corte real, ya era la familia de la gran emperatriz viuda Wang, esposa del Emperador Yuan. Usó su longevidad e influencia, explotando las debilidades de su hijo, para promover a los miembros de su familia en posiciones vitales dentro del imperio. Uno tras otro, los miembros del clan Wang recibieron el alto mando del ejército chino, y finalmente, en el 8 a. C., esta posición recayó en Wang Mang. Un año más tarde, el emperador Cheng murió sin hijos, por lo que su sobrino, Ai, se convirtió en el nuevo líder. Al principio, el joven emperador trató de gobernar por su cuenta, reduciendo el gasto, limitando la esclavitud y tratando de expulsar al clan Wang fuera de sus oficinas. Se las arregló para echar a Wang Mang, pero la gran emperatriz viuda Wang todavía estaba en la corte conspirando. Ai conectó bien con un funcionario menor llamado Dong Xian, y lo promovió bastante rápido para ocupar rangos más altos. Esto causó rumores de una supuesta relación homosexual, que fue alimentada por el hecho de que Ai no tuviera hijos y quisiera dejar su trono a Dong. Cuando Ai murió en el año 1 a. C. comenzó otra crisis de sucesión. Dong Xian y toda su familia se vieron obligados a suicidarse, y otro de los sobrinos de Cheng fue elegido para ser emperador. Como todavía era un niño, Wang Mang se convirtió en su regente.

23. Ilustración del emperador Ai y Dong Xian.
Fuente: https://commons.wikimedia.org

Pero el niño emperador murió en el 6 d. C., y un primo menor de edad relacionado con el emperador Xuan ocupó su lugar, una vez más bajo la regencia de Wang Mang. Los miembros restantes de la familia Han ya estaban irritados por el poder de Wang Mang y su actitud hacia ellos. Para complacerlos, prometió que cedería todo el poder al joven emperador cuando fuera suficientemente mayor. Pero en el 9 d. C. lo destronó proclamando que la dinastía Han había perdido su Mandato del Cielo, y creó una nueva dinastía Xia. En ese momento, Ming tenía el control total del gobierno real y las fuerzas, por lo que logró parar rápidamente dos rebeliones y un motín que surgió como una reacción a su usurpación del trono. Luego tuvo que luchar contra las incursiones de los Xiongnu, que comenzaron a rebelarse de nuevo. A través de la guerra y la diplomacia, logró asegurar una vez más la paz con ellos el 19 d. C. También tuvo problemas con las tribus del sudoeste y en la península de Corea, pero estas revueltas fueron causadas por el reinado anterior de Han, no por él mismo. Una vez en el trono, reformó la economía china una vez más. Monopolizó la producción de sal y hierro, hizo reformas monetarias y aumento los impuestos. Wang decretó un impuesto sobre la renta para profesionales y trabajadores calificados y un "impuesto perezoso" para los terratenientes si abandonaban su campo sin cultivar. En esencia, estas reformas económicas se utilizaron para fortalecer el poder imperial y reunir fondos para mantener al gobierno a flote.

Estas reformas fueron vistas más tarde como una señal de que Wang Mang era un tirano despótico, pero en realidad era un líder capaz de gobernar con gran diligencia, sin hacer nada que muchos emperadores antes de él no hubieran hecho. Incluso castigó a sus propios hijos cuando violaron la ley. Sin embargo, debido a que sus intentos de iniciar una nueva dinastía fracasaron, fue etiquetado como un emperador malvado, y sus acciones fueron vistas como la razón de su caída. Pero la causa real fue que el río Amarillo se inundó dos veces bajo su gobierno, cambiando de rumbo y causando hambrunas masivas, migraciones y caos general en el corazón chino. Wang Mang trató de solucionar los problemas, pero los desastres naturales de ese nivel eran algo que ningún gobierno chino, ni siquiera en el siglo XX se podían evitar. Al final, los campesinos se alzaron en el antiguo estado Qi en el 22 d. C., derrotando al ejército imperial, y luego extendiéndose a través de China. Esta fue una oportunidad perfecta para que el resurgimiento de la dinastía Han, que unió sus fuerzas a las de los campesinos, y comenzó una guerra civil. Al año siguiente, Wang Mang fue derrotado en su capital y murió en el proceso. La fuerza ganadora proclamó al emperador Gengshi como el nuevo líder, ya que era descendiente del emperador Jing. Pero era un gobernante débil al que no reconocían todas las fuerzas rebeldes, por lo que la guerra civil continuó.

Después de una serie de malas decisiones, en el 25 d. C., Gengshi fue asesinado, y otro descendiente del emperador Jing se convirtió en el nuevo gobernante de China. El emperador Guangwu fue quien realmente restauró la dinastía Han. El nuevo emperador trasladó su capital de Chang'an a una ciudad llamada Luoyang. Debido a este cambio en la rama gobernante de la dinastía Han los historiadores dividen su historia en las eras Han occidental y Han oriental. Pero la guerra civil aún no había terminado. Los campesinos seguían insatisfechos, su ejército vagaba por el corazón chino, y había al menos once pretendientes al trono. Durante más de una década, Guangwu tuvo que luchar contra todos ellos antes de confirmar su posición y traer una paz muy necesaria en el 36 d. C. Luego procedió a reinar con frugalidad, con el gobierno eficaz y eficiente basado en personas capaces. También restauró la división administrativa sobre las regiones y pequeños reinos, que repartió entre sus familiares. Guangwu también relajó algunas leyes que eran muy estrictas, haciendo su reinado más fácil y llevadero para sus súbditos. Bajo su reinado, también tuvo que lidiar con incursiones de Xiongnu más pequeñas en las fronteras del norte, y con una rebelión en las regiones del sur, en lo que hoy es Vietnam del Norte. También emprendió una campaña que restauró la influencia china en Asia Central. Su gobierno, que duró hasta el 57 d. C., dio al imperio chino una estabilidad muy necesaria.

A su muerte fue sucedido por su hijo, el emperador Ming. Era estricto con sus funcionarios, a quienes castigaba severamente si eran denunciados por abuso de su poder. Eso hizo que el ambiente en su corte imperial fuera bastante tenso, con muchas jugadas políticas y apuñalamientos entre los funcionarios. Fue extremadamente duro cuando sus hermanos trataron de conspirar contra él. Masacró a miles de personas para tratar de encontrar a todos los culpables. Pero a pesar de eso, su reinado es recordado como positivo, con muchos proyectos públicos que beneficiaron el desarrollo económico. El principal de ellos fue la reparación de canales, diques e infraestructuras que habían sido destruidas en las inundaciones masivas del río Amarillo a principios de siglo. En los últimos años de su gobierno, también libró una guerra contra algunas tribus Xiongnu para reafirmar la soberanía china de los reinos vasallos de Asia Central. Murió en el 75 d. C. y fue sucedido pacíficamente por su hijo, el emperador Zhang. Continuó con los pasos de su padre, trabajando diligentemente y viviendo de manera frugal. Buscó hombres honestos y trabajadores para su gobierno y trató de expandir el comercio mediante el desarrollo de nuevas rutas comerciales. Y al igual que su padre, trató de mantenerse humilde siguiendo las enseñanzas confucianas hasta su muerte en el 88. Sus reinados son a menudo considerados la segunda edad de oro de la dinastía Han, marcada por un aumento de la prosperidad, los avances tecnológicos y la paz general.

24. Pintura mural de caballeros y carruajes chinos en una tumba.
Fuente: https://commons.wikimedia.org

Una de las razones de la estabilidad lograda por los tres primeros emperadores Han orientales fue su capacidad de mantener sus cortes relativamente libres de intriga, limitando la intromisión de los clanes de sus esposas y otros funcionarios influyentes. A ello se le suma que el papel de los eunucos en la vida de la corte comenzó a aumentar. Pero con el nuevo emperador, He, que era aún un niño, el imperio comenzó a volver al estado de la dinastía Han occidental tardía. El clan Dou de la madre de He tenía un estrecho control en la corte, pero gracias a su hermano, el príncipe Xiao, y uno de los eunucos de la corte, logró derribarlos y continuar el gobierno por su cuenta. También confió en el consejo de algunos funcionarios a su alrededor, ya que carecía de las capacidades de su padre y su abuelo. Con todo, logró proporcionar alivio en tiempos de crisis y trató de gobernar de manera justa. Durante su reinado, China perdió el control de Asia Central y tuvo que soportar algunas rebeliones menores en las regiones del suroeste. Murió en el 106 sin un heredero apropiado, por lo que después de algunas intrigas de la corte, el hijo del príncipe Xiao heredó el trono como emperador An. Como era solo un niño, otra emperatriz viuda tuvo que hacer de regente y, como era habitual, promovió a sus compañeros de clan Dang para ocupar posiciones vitales del gobierno. Este favoritismo acabó en el año 121 con la muerte de la emperatriz viuda.

Con la ayuda de su esposa, la emperatriz Yan, y algunos eunucos depuestos por el clan Dang, el clan Yan ocupó el vacío en el poder. Bajo el gobierno de An, la rebelión del pueblo Qiang en el suroeste empeoró y mermó el presupuesto imperial, que ya se había reducido tras los desastres naturales que azotaron a China bajo su gobierno. El emperador murió en el 124 sin lograr demostrar ninguna proeza. Una vez más, una crisis de sucesión golpeó a la China imperial, mientras la emperatriz Yan trataba de colocar a un príncipe más joven como gobernante para ejercer más poder en los próximos años. Sin embargo, encontró la oposición de los eunucos, que también buscaban influencia sobre el nuevo emperador. Después de una serie de luchas y una corta regla del emperador Shao, la emperatriz y su clan perdieron la lucha. Fueron todos masacrados, con la excepción de la emperatriz. En el 125, el emperador Shun llegó al trono. Pero nada importante cambió en la corte imperial, ya que Shun también demostró que no tenía fuerza ni autoridad y confió en eunucos corruptos para gobernar.

Su reinado logró pasar sin demasiada agitación, sobre todo debido a su naturaleza amable y a la cuidadosa elección de la emperatriz para evitar más traiciones en la corte. A pesar de todo, el gobierno se estaba volviendo cada vez más corrupto en todos los niveles y era cada vez menos eficaz. Bajo el emperador Shun el gobierno imperial central trabajó en muchos proyectos locales y apoyó el desarrollo de la educación y la ciencia. La prueba es la restauración de la universidad imperial, que había decaído a lo largo de las décadas. Su gobierno también fue notable porque por primera vez en la historia se usó un sismógrafo, un instrumento que ayuda a detectar terremotos. Durante este período los generales chinos también fueron capaces de restaurar la influencia imperial en Asia Central durante un corto período. Pero era evidente que el poder del imperio se estaba desvaneciendo lentamente. El emperador Shun murió en el 144, dejando a su hijo de un año en el trono, que también murió al año siguiente. Una vez más, una viuda emperatriz fue la persona que se hizo con el control a pesar de los intentos de Shun por detenerlo. Eligió a otro heredero menor de edad, un bisnieto del emperador Zhang, que fue envenenado en el 146 por el hermano de la emperatriz viuda, Liang Ji. El siguiente en ser elegido para ocupar el trono fue Huan, otro bisnieto del emperador Zhang. En los primeros años de su gobierno, la influencia de Liang Ji en la corte creció y se convirtió en más poderosa que su hermana. Pero Huan no quería seguir siendo su marioneta, así que recurrió a los eunucos de la corte, que cada vez eran más fuertes, en busca de ayuda.

En el 159, lograron escenificar un golpe de estado. El clan Liang fue masacrado y se hizo una purga de todos sus partidarios en el gobierno. La gente esperaba que la situación en el imperio cambiara, pero debido a que el emperador Huan tenía que depender de eunucos para lograr esto, los recompensó con posiciones gubernamentales, dinero y poder. Por lo tanto, su gobierno permaneció eclipsado por otros. Pero él mismo era un gobernante corrupto, que no hizo escuchó las críticas y consejos de sus administradores más capaces, y la situación empeoró. Esto tuvo su reflejo en las numerosas revueltas campesinas en todo el imperio chino, así como en una nueva rebelión del pueblo Qiang en el suroeste. Para sofocar estas revueltas dilapidó el tesoro imperial. En el año 161 Huan estableció un desastroso precedente al vender cargos gubernamentales menores y oficinas por dinero. Al ver cómo los eunucos eran cada vez más poderosos, varios eruditos confucianos que sirvieron en el gobierno central trataron de suprimir su influencia. Y fueron apoyados por los estudiantes de la universidad imperial. Esto desembocó en una protesta estudiantil abierta en el 166, que enfureció al emperador. Encarceló a muchos de ellos y los eruditos, como respuesta, se posicionaron en contra del trono. El gobierno enajenó al pueblo y le separó precisamente de aquellos que más necesitaba, de los más capaces y educados. El gobierno del emperador Huan terminó en el 168, y murió sin descendencia.

Una vez más, una emperatriz viuda tuvo que desempeñar un papel crucial. La viuda Dou escogió a otro emperador infantil descendiente de uno de los hijos del emperador Zhao. Se llamaba Ling, y al igual que sus predecesores, estaba controlado por una regencia. Dou trató de limitar el poder de los eunucos, pero al final, fue contraproducente para ella. En el 169 se apoderaron de ella, masacraron a su clan y tomaron el control del emperador. La corrupción y la venta de cargos y títulos continuaron, y los eunucos continuaron conspirando y ganando más poder en la corte. Los impuestos se elevaron cuando el tesoro imperial comenzó a agotarse debido a la corrupción burocrática. Además de todo eso, el ejército chino sufrió una terrible derrota en el 177 contra la Xianbei, una nueva confederación bárbara en el norte. Todo esto condujo a una revuelta campesina en el centro de China conocida como la Rebelión Turbana Amarilla, que fue liderada por un predicador taoísta que afirmaba que la era de la dinastía Han había terminado. A pesar del origen religioso del alzamiento, fue un intento organizado de apoderarse del trono, y el gobierno central tuvo que enviar varios ejércitos para sofocarlo. Al final, su líder fue asesinado, y poco a poco comenzó a disolverse. Sin embargo, las revueltas agrarias, las rebeliones y otros levantamientos continuaron a medida que el estado del imperio continuaba desintegrándose.

La rebelión de los Turbantes Amarillos causó disturbios considerables, pero su resultado más importante fue que por primera vez los generales no disolvieron sus ejércitos después de la victoria imperial, ya que sintieron que lo necesitarían pronto de nuevo. La rebelión también hizo que algunos funcionarios de la corte lograran persuadir al emperador Ling de que los inspectores imperiales no tenían suficiente poder. Así, en el 188, les dio la autoridad para comandar tropas imperiales y aumentar los impuestos en sus regiones, cambiando sus títulos a gobernadores. A muchos funcionarios y generales de alto rango se les concedió este nuevo título y poder, lo que les permitió convertirse en jefes militares locales en pocos años. Al año siguiente Liang murió. Su hijo mayor se convirtió en el nuevo emperador, pero las intrigas de la corte continuaron. En menos de dos semanas fue depuesto y poco después asesinado. El otro hijo de Liang se convirtió en el siguiente y último emperador Han. El comienzo de su gobierno estuvo marcado por los juegos de la corte habituales de los eunucos, pero esta vez se excedieron y su traición fue descubierta por uno de los oficiales de alto rango. Después de algunas maquinaciones políticas, los atacó y luego los ejecutó en el 189. Con eso, cualquier poder restante del gobierno imperial central se perdió, y los jefes militares comenzaron a levantarse.

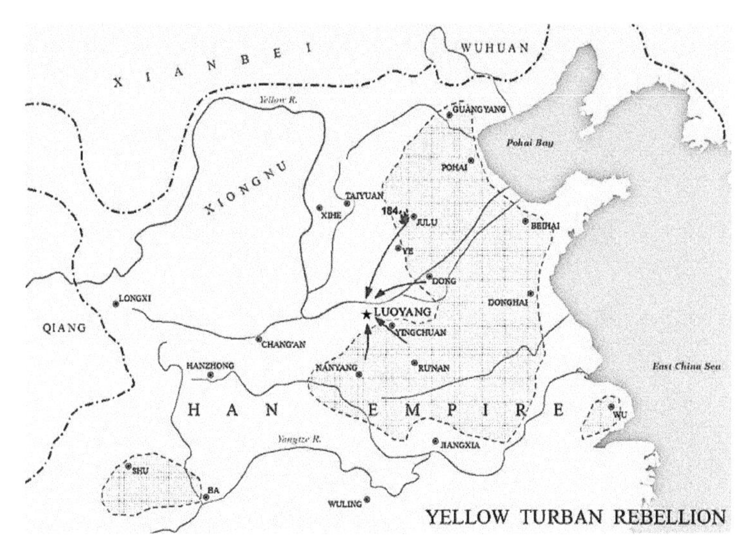

25. Mapa que muestra la extensión de la rebelión de los Turbantes Amarillos.
Fuente: https://commons.wikimedia.org

Uno de los jefes, Dong Zhuo, aprovechó esta oportunidad y tomó el control del emperador y del gobierno central, llamándose a sí mismo canciller del estado. Pronto otros jefes militares se levantaron contra él y le siguieron levantamientos campesinos. Esto debilitó su posición, y en el 192 fue asesinado en un complot judicial. Después de su muerte, la mayoría de la gente esperaba que el régimen Han regresara a su estado normal, pero la inercia de la guerra civil obligó a los jefes militares a continuar sus luchas mientras temían represalias. Así, la guerra continuó mientras la corte imperial perdía no solo su poder, sino también su fuente de ingresos y veía cómo miembros del gobierno central morían literalmente de hambre. El emperador Xian no pudo encontrar a nadie que lo ayudara hasta el año 196, cuando un jefe militar llamado Cao Cao invitó al emperador y a su corte. Hasta este período, solo era un jefe militar menor, pero reconoció los beneficios de tener el control del emperador a pesar de su total falta de autoridad. Rápidamente ganó influencia, convirtiéndose en uno de los jefes militares más importantes al conquistar estados más pequeños a su alrededor. A finales del siglo II, China estaba dividida en muchos estados más pequeños y jefes militares sumidos en una guerra civil total.

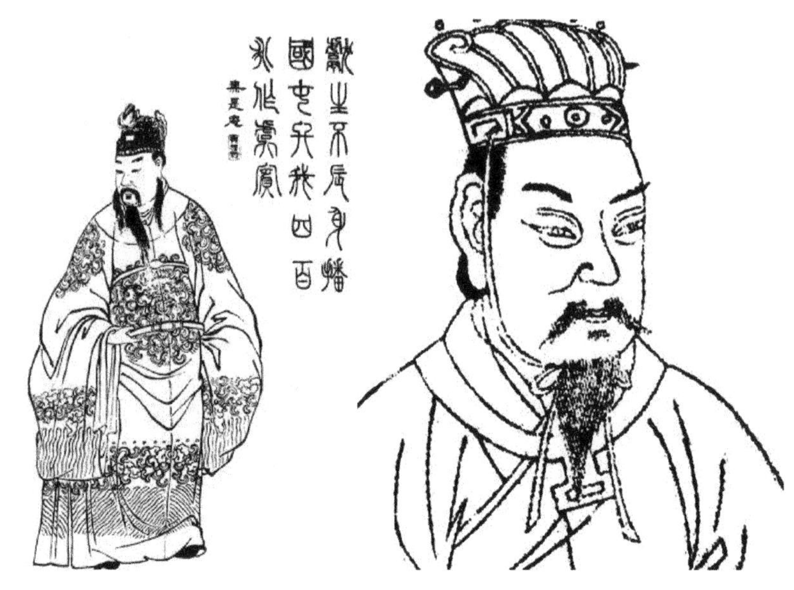

26. Xian, el último emperador de la dinastía Han (izquierda) y el jefe militar Cao Cao. Fuente: https://commons.wikimedia.org

Al principio, Cao Cao conservó el gobierno central del emperador tal como estaba, con todos sus ministros y funcionarios. Pero en el 208, abolió todos los cargos imperiales, reemplazándolos por solo dos, el secretario imperial y el canciller, un título que tomó para sí mismo. La autoridad imperial del emperador Xian fue destruida y se convirtió en un mero títere, similar a los primeros reyes Zhou durante el período de primavera y otoño. En aquellos primeros años del siglo III, otros dos jefes militares llegaron al poder al igual que había hecho Cao en el norte. Esto derivó en una lucha por el trono a tres bandas. En el suroeste estaba Liu Bei, un posible pariente lejano de la familia Han, y en el sureste se encontraba Sun Quan. En el 220, Cao Cao murió, y fue sucedido por su hijo Cao Pi, quien compartió las ambiciones de su padre. A finales de ese mismo año, logró forzar al emperador Xian a abdicar a su favor, ya que Cao Pi quería demostrar su poder. Esto supuso el final de la dinastía Han tras haber gobernado

China durante más de 400 años. Xian no fue asesinado, por el contrario, continuó viviendo una vida bastante lujosa como duque en un feudo que le dio Pi. Los otros dos jefes militares no esperaron mucho para aumentar sus títulos también. Liu Bei tomó el título de emperador en el 221, mientras que Sun Quan siguió su ejemplo ocho años más tarde. Así, China se dividió en tres estados, Wei, Shu y Wu, y comenzó el período de los Tres Reinos.

A pesar de este final bastante infame, la dinastía Han ha sido ampliamente considerada como una de las épocas doradas de China. Y con razón. Haciendo un repaso general, China amplió enormemente su territorio, desde Corea a Vietnam y desde Asia Central hasta el actual Kazajstán. La economía también floreció, tanto por el aumento de la producción de seda, hierro y cerámica, como por el comercio. Una de sus contribuciones más importantes fue la Ruta de la Seda que conectaba China con Europa. Bajo la dinastía Han, la cultura china también alumbró muchos filósofos y libros importantes que todavía se conservan hoy en día. Y también fue un período de numerosos avances tecnológicos y científicos, así como desarrollos del arte. Así, esta época se convirtió en un período clásico de la historia china, que influyó en las generaciones siguientes de pensadores chinos. Fueron los Han quienes en realidad moldearon las tradiciones de las dinastías anteriores con sus propias atribuciones únicas para crear las características esenciales por excelencia de la civilización china.

Capítulo 6 – La sociedad de la China antigua

China experimentó enormes cambios en todos los aspectos de la vida durante los tiempos antiguos. Desde el momento de los primeros Shang hasta el difunto Han, el orden social de China, la economía, la burocracia e incluso la vida cotidiana se desarrolló, modificó y transformó. La sociedad del Shang es muy diferente de la sociedad de los Han, sin embargo, en este capítulo, trataremos de explicar algunas de las tendencias básicas, características y evolución de la antigua sociedad china, pero centrándonos más en la dinastía Han posterior, ya que fue el período más complejo que se cubre en esta guía.

Además de la jerarquía social china estaba su soberano, esto permaneció igual desde los primeros días de la civilización china hasta el final de la dinastía Han. Pero sus títulos, importancia y autoridad cambiaron. Los primeros soberanos históricos, sin incluir a los emperadores míticos, llevaban los títulos de reyes (wang) y, al igual que en la mayoría de las sociedades primitivas tempranas, su gobierno se basaba en la doble autoridad. Un pilar era la religión, ya que durante la dinastía Shang e incluso a principios de Zhou, era vital para llevar a cabo varios rituales y ceremonias. El otro era el poder material, que se medía a través de la simple riqueza y la capacidad de comandar los recursos humanos de los plebeyos, tanto para la guerra como para la construcción de proyectos. Con el tiempo, esta autoridad creció hasta que fueron capaces de ejercer un nivel mucho más alto de control sobre sus súbditos, que también crecieron en número. Así, durante la dinastía Zhou, comenzaron a abandonar sus roles religiosos, dejándolos a los sacerdotes, y se centraron más en el desarrollo de sus funciones políticas y gubernamentales. Pero durante el período Zhou posterior, su autoridad real disminuyó, y se volvieron bastante insignificantes. A medida que sus duques nominalmente subordinados se convirtieron en reyes durante el período de los Reinos combatientes, sus diferentes filosofías de gobierno causaron un cambio en el papel del soberano.

Los gobernantes de ese período se dieron cuenta de que necesitaban promover sus propias prerrogativas y compartir menos poder con los nobles, aumentando su autoridad. Así, cuando el rey de Qin se convirtió en el primer emperador, tomó para sí mismo el poder absoluto. Era el único que podía emitir y modificar leyes, ya que era el juez supremo y comandante en jefe. Nadie podía discutir sus decisiones, y tenía el poder de interferir en la vida de todos. Y con pocas excepciones, todas las tierras le pertenecían. Casi todos sus papeles ceremoniales desaparecieron, sin embargo, reservó un vínculo religioso entre la autoridad imperial y la religión, la idea del Mandato del Cielo. Este supuesto, que fue introducido por primera vez por los reyes Zhou, dio a los soberanos chinos legitimidad teológica, ya que su autoridad había sido confirmada por el cielo. Esto fue especialmente importante en períodos de cambio dinástico ya que, en teoría, daba a todos el derecho a rebelarse contra el emperador si su gobierno mostraba grandes signos de desgracia. Pero al mismo tiempo, hizo que el gobierno imperial fuera mayormente incuestionable, haciendo que cualquier revuelta contrarrestara al orden natural del universo. En cierto modo, el propio emperador igualó al estado. Pero este papel dominante de los emperadores chinos era teórico, ya que hemos visto que su autoridad era a menudo usurpada por otros cuando las personas que estaban en el trono eran débiles.

Por supuesto, ninguno de los soberanos, sin importar sus títulos, podría gobernar solo. Tenían a sus funcionarios y administraciones a su disposición. En los primeros días, la corte estaba llena de nobles feudales, que tenían su propia tierra y derechos para hacer lo que les placiera con ellos. Solo sirvieron al rey pagando tributos y librando guerras cuando se les pedía. Aparte de eso, la autoridad real ejercía poco poder en los estados feudales. Para combatir eso, a lo largo de los siglos los soberanos chinos fueron revocando títulos feudales para crear un gobierno burocrático. Este proceso finalizó con el establecimiento del imperio en el 221 a. C., pero la dinastía Han introdujo una excepción. Se restablecieron feudos semiautónomos para los miembros de la familia real, y su poder se mantuvo constantemente bajo control. Esto, a su vez, significaba que casi todos los nobles estaban de alguna manera conectados con la familia imperial. Por supuesto, esto no significaba que otras familias nobles desaparecieran. Se transformaron en una nueva clase de nobles educados que sirvieron en la administración imperial. El núcleo del gobierno central estaba formado por tres posiciones de excelencias, cuyos títulos exactos variaban. Pero eran los asesores más cercanos del emperador y sus jurisdicciones estaban separadas en tres áreas de gobierno no estrictamente divididas. Debajo de ellos había nueve ministros con sus propias áreas, como el ministro de finanzas o justicia. Eran responsables de cumplir las órdenes del emperador y de ocuparse de la burocracia estatal cotidiana.

27. Figura del período Han de dos hombres nobles eruditos jugando un juego de mesa. Fuente: https://commons.wikimedia.org

La mayor distinción entre los nobles y los funcionarios está en el hecho de que los títulos nobles eran hereditarios, pero los funcionarios eran nombrados por el emperador. Esto hizo que la movilidad social vertical en la sociedad china fuera mayor que en la mayoría de los otros estados antiguos. En teoría, cualquier persona con talento podía progresar, pero por supuesto, las personas más ricas estaban en ventaja. Por un parte, tenían acceso a una mejor educación, y también tenían conexiones, que seguían siendo importantes en la sociedad china. Todo ello les permitía avanzar más rápido y más alto que los plebeyos. Sin embargo, esa división entre las élites y los plebeyos cambió con el tiempo. En los primeros días, la sociedad china estaba claramente dividida en dos grupos principales, la élite feudal y los plebeyos campesinos. Pero a medida que la civilización china se hizo más compleja, la sociedad pasó por un proceso de estratificación basada en la riqueza y la ocupación. De esta manera, durante la dinastía Han, justo debajo de los nobles y funcionarios había ricos comerciantes, terratenientes e industriales. Este último a veces estaba prohibido por la nacionalización de las industrias. Los terratenientes cada vez trabajaban menos en sus tierras, la alquilaban o contrataban a trabajadores para cultivar las tierras mientras que ellos vivían en ciudades. Los industriales eran personas que se ocupaban de la extracción de metales, la extracción de sal, la fabricación a gran escala o la cría de animales. A menudo poseían negocios compatibles, como minas de hierro y talleres de hierro, aumentando sus ganancias en el proceso. Y finalmente, estaban los comerciantes itinerantes que comerciaban con productos valiosos en una red de ciudades en toda China. Cabe mencionar que a menudo estos tres grupos sociales se mezclaban y una sola persona podía cultivar bienes o fabricar y poseer grandes parcelas de tierra.

Por debajo de ellos estaban los artesanos, que creaban artículos especializados como armas, joyas y otros productos más artísticos. Su estado dependía únicamente de sus habilidades en su oficio. Algunos de ellos se hicieron ricos y respetados miembros de la sociedad, mientras que otros eran trabajadores miserables sin mucha clase. Sin embargo, en la jerarquía social, se les consideraba que estaban por encima de los comerciantes locales y pequeños comerciantes, que a menudo eran despreciados por la nobleza y a veces incluso perseguidos por la ley. Eran obligados a usar ropa que indicara su estatus. Una excepción a esta regla eran los libreros y boticarios que eran vistos como profesiones dignas por la nobleza académica y con las que a veces se comprometían. Luego estaban los granjeros y campesinos, que trabajaban en sus tierras. Los agricultores y campesinos eran a menudo vistos como una clase más alta que los artesanos debido al pensamiento confuciano, ya que producían todos los alimentos de los que dependía la sociedad. Este fue también el único trabajo manual que fue respetado por las élites, ya que era visto como algo decente y humilde. Pero, por supuesto, casi ninguno de ellos practicaba este trabajó en sus propios campos. Los agricultores tenían que trabajar duro en sus campos, muchos de ellos eran dueños de las tierras en las que trabajaban. Otros eran simplemente trabajaban en tierras que alquilaban a los terratenientes de élite. Como representaban alrededor del 90% de la población china, en realidad eran la base de toda la economía, por lo que cuando un desastre natural los amenazaba, la economía en su conjunto estaba en peligro. Es por eso que el gobierno central tuvo mucho cuidado en preservar esta clase. También eran importantes, ya que eran la base para el reclutamiento, tanto para el servicio militar como para la corvea real, el trabajo no remunerado que un individuo debe a su señor feudal. Otras clases bajas también estaban sujetas a esto, pero eran menos numerosas, y por lo tanto menos importantes.

Un grupo social separado era el de los criados o clientes, que comenzaron a sumarse en grandes cantidades durante el período de los Reinos combatientes. Eran personas sin tierras propias ni posesiones que vivían en sus anfitriones, proporcionando mano de obra a cambio de alojamiento, comida y, en algunos casos, salarios. Se podrían distinguir dos tipos de sirvientes. Los más bajos y menos respetados eran aquellos que proporcionaban mano de obra manual alrededor de la casa y la finca. Luego estaban los que servían como guardaespaldas y combatientes, que en períodos posteriores de la dinastía Han se convirtieron en ejércitos personales. Los más notables y respetados fueron los que tenían funciones consultivas y académicas. Algunos de los criados desempeñaban bien sus tareas eran dotados incluso con artículos de lujo, que servían para mostrar lo respetados que podían llegar a ser.

28. Figuras de criados Han. Fuente: https://commons.wikimedia.org

En la parte opuesta estaban los esclavos, que eran la capa más baja de la sociedad china. Ellos mismos eran propiedad de sus dueños, y podían dividirse en dos grandes grupos, esclavos estatales y privados. Las dos formas más comunes de convertirse en esclavo eran a través de la deuda o como prisionero de guerra. Sin embargo, cabe señalar que los esclavos no eran una parte sustancial de la sociedad china, representaban tal vez el 1% de toda la población. Nunca desempeñaron un papel crucial en la economía o el modo de vida chino, y en algunas ocasiones durante el gobierno Han, la esclavitud fue abolida ya que era vista como una práctica bastante inmoral. Además, los esclavos estaban protegidos por la ley, impidiendo que sus dueños los asesinaran, incluso en el caso de los reyes vasallos u otros nobles menores. Los hijos de los esclavos nacían siendo esclavos.

Pero además de esta división vertical de la sociedad china en clases amplias, también había una forma de división horizontal en clanes, ya que la familia jugó un papel importante en la vida de los chinos. Por supuesto, el núcleo de estos clanes era la familia nuclear patrilineal en la que el padre era el jefe de la familia. Durante la dinastía Han, era raro ver generaciones de una familia viviendo bajo un mismo techo. Pero permanecieron conectados con sus parientes con quienes compartían un ancestro patrilineal común. Por supuesto, cuanto más cerca estaban relacionados, más fuerte era el vínculo. Pero era común que los miembros del clan cuidaran a sus compañeros parientes, lo que a su vez causó muchos problemas para el gobierno central. La razón más común era que los funcionarios de todos los niveles a menudo promovían y ayudaban a los miembros de su clan, lo que hacía que esos linajes crecieran en el poder, y de vez en cuando incluso amenazaban a la autoridad imperial. También fue un terreno fértil para la corrupción y el nepotismo en la administración. Los clanes locales también eran a menudo columna vertebral de las rebeliones y revueltas. Y no había nada que el gobierno pudiera hacer contra la institución de los parientes, ya que estaba arraigado en las tradiciones confucianas.

29. Dos frescos de mujeres nobles Han.
Fuente: https://commons.wikimedia.org

El matrimonio en sí era visto como parte de este sistema de parentesco, ya que a menudo los matrimonios eran arreglados o influenciados por el cabeza de familia en vez de estar basado en la decisión de los recién casados. Pero los parientes matrilineales no eran considerados miembros del clan, y cuando la esposa entraba en una nueva familia se convertía en parte del clan del esposo, adorando su templo familiar. Sin embargo, retenían su apellido natal. La monogamia era la norma en la sociedad china, con excepciones de nobles muy ricos y la familia imperial. Estos hombres tenían una esposa principal y luego un número de concubinas, que legal y religiosamente tenían derechos menores. La tradición exigía que todas las mujeres obedecieran a sus maridos y a otros miembros masculinos de la familia, y era común que la madre del líder del clan conservara sus privilegios de antigüedad. Esto era más obvio en la corte imperial, donde las emperatrices viudas a menudo desempeñaban papeles cruciales, teniendo más autoridad que los propios emperadores. Hubo casos en los que las mujeres lograron ganar influencia y se involucraban en trabajos que tradicionalmente no se consideraban adecuados para ellas. Pero a la mayoría de ellos se les encomendaban tareas domésticas, como tejer ropa, cocinar y cuidar de los niños. En raras ocasiones trabajaban en los campos junto a los miembros masculinos de sus familias o tejían seda u otros textiles más exclusivos para obtener ingresos adicionales. Esto era más común en las viudas. El divorcio también existía, pero era visto como inmoral. En su mayoría, este derecho estaba reservado a los esposos, que podían solicitarlo si la esposa era desobediente, infiel o infértil. En algunos casos raros, las mujeres podrían pedir el divorcio si la familia del marido no pudiera mantenerla.

Las mujeres también tenían cierta protección por la ley. Por ejemplo, fueron excluidas del trabajo forzado, y por los tiempos Han, se prohibió a los esposos abusar físicamente de ellas. La violación también fue prohibida, y las mujeres podían demandar a sus atacantes en los tribunales. Estas normas, como la mayoría de las leyes imperiales, trazan sus orígenes a las formas arcaicas anteriores basadas en las costumbres y la ley natural, que maduraron en la época de la dinastía Han. Por ejemplo, la legislación Han distinguió diferentes tipos de asesinatos, diferenciando el premeditado del accidental. Y la ley imperial se ocupaba de una amplia gama de ofensas y obligaciones y contemplaba diversas formas de castigo. Según algunas fuentes, uno de los primeros códices de la ley Han tenía 26.000 artículos. Curiosamente, el encarcelamiento no era común en la ley china. Las penas habituales eran condenas a muerte, generalmente por decapitación, períodos de trabajo duro forzado, exilio y multas monetarias. Y como la mayoría de los sistemas legales, el sistema judicial imperial chino tenía varios niveles, desde el tribunal del condado, encabezado por un magistrado, hasta otros niveles administrativos del gobierno más elevados. En los casos en que la jurisdicción se solapara, era común que quien arrestara al criminal sería el primero en juzgarlo.

Pero a pesar de este nivel de desarrollo del sistema de derecho, el comercio seguía estando regulado principalmente por acuerdos aduaneros y personales. Era una práctica común en el período Han tener un contrato, detallando los bienes, cantidades de dinero y fechas, y otros detalles. Esto era muy importante, ya que hacía que el comercio fuera más seguro, mejorando aún más la economía. El primer tipo de comercio en desarrollarse fue el comercio local, que creció hasta hacerse regional durante la dinastía Zhou. Después de la creación del imperio, la red de comercio interno cubría todo el territorio chino. Se vendían comúnmente tres tipos de productos, de los que probablemente los más importantes eran los alimentos básicos: varias clases de mijo, arroz, trigo, frijoles, albaricoques, ciruelas, melocotones, pollos, cerdos, carne de vaca y muchos otros. Luego estaban los productos cotidianos como lámparas de aceite, varias herramientas y armas de cultivo de hierro y bronce, ropa, utensilios para comer, artículos de cerámica, ataúdes e incluso carros. En la misma categoría económica que los bienes cotidianos estaban los de consumo, como el licor, el pescado seco, varias salsas y sabores, especias, pepinillos y productos similares. El tercer grupo importante consistía en materias primas como jade, minerales metálicos, sal, cuero, madera y bambú. Esta amplia gama de productos significaba que la red comercial estaba bastante desarrollada y era importante, no solo para la economía, sino también para la calidad de la vida general en la antigua China.

Pero aún más importante que el comercio interno fue el exterior, que floreció con la formación de la Ruta de la Seda en el siglo II a. C. Antes de eso, los principales socios comerciales de los comerciantes chinos eran tribus bárbaras del norte que ofrecían caballos y pieles a cambio de alimentos y artículos de lujo, comúnmente seda. Pero con la Ruta de la Seda llegaron socios comerciales más prósperos, sobre todo partos (persas) y romanos, que a su vez tenían imperios ricos y poderosos. Las distancias eran largas y eran cubiertas por tierra a través de Asia Central hasta el actual Irán o por rutas marítimas desde Vietnam a través del subcontinente indio hasta las costas del golfo Pérsico. Esto significaba que los únicos bienes que se comerciaban eran artículos caros y lujosos. De China vino la seda, un bien muy buscado por los romanos, pero también la cerámica, el jade, artículos de bronce, especias y laca. A su vez, los chinos importaban productos como oro y plata, azúcar, caballos y cristalería. Pero como la producción de seda era en ese momento una industria exclusiva de los chinos, su economía se benefició más de estos intercambios, lo que en parte podría explicar la economía en auge de la dinastía Han. También es un recordatorio de que a pesar de la noción general de que la civilización china se desarrolló en una burbuja aislada, en realidad tenía conexiones con otras naciones y personas a su alrededor. Aunque la cuestión del contacto directo entre los romanos y los chinos todavía se debate entre los historiadores, es evidente que el intercambio de conocimientos e ideas ocurrió.

Y el conocimiento fue visto como algo importante en China, especialmente desde que comenzó la transición hacia un sistema estatal burocrático. Reunir y compartir conocimientos y experiencia se convirtió en primordial para crear administradores y otros funcionarios capacitados. La educación comenzó a desempeñar un papel bastante importante en la sociedad china, al menos entre las clases superiores, razón por la cual los nobles feudales se transformaron en una clase de nobles académicos. Había varias maneras de obtener una educación en la antigua China. Existían escuelas privadas abiertas por profesores donde enseñaban a sus estudiantes cobrando cuantiosas matrículas. En algunos casos, las familias ricas pagaban a los maestros para que educaran a sus herederos. A partir de esos comienzos, la educación pública comenzó a medida que la administración se hizo más compleja bajo el gobierno imperial. Así que, a nivel local, las escuelas fueron patrocinadas por gobiernos de las regiones. La mayoría de los estudiantes que asistían a estas escuelas permanecían en las oficinas locales de la administración inferior. Más prestigiosa fue la universidad imperial en la capital, que reunió a los mejores talentos en todo el país y a la solo se podía acceder con la recomendación de los oficiales superiores. Su educación era directamente supervisada por uno de los ministros, y estaban preparados para oficinas de alto rango en el gobierno central. Los temas más comunes que se enseñaban eran la filosofía, principalmente el confucianismo, el derecho, las matemáticas y la escritura. Pero a pesar de la importancia general que el gobierno daba a la educación, estaba disponible casi exclusivamente para los hombres jóvenes más ricos, mientras que los pobres y las mujeres eran generalmente excluidos.

A partir de esta breve introducción y descripción de la antigua sociedad china, debería quedar bastante claro que para la época de la dinastía Han ya se había convertido en un sistema muy complejo. A partir de una simple sociedad de dos clases, se convirtió en un sistema de numerosas clases y vocaciones, con una estratificación muy diversa. Además, los clanes y los lazos familiares desempeñaron un papel importante en la identificación del lugar en la sociedad. Era un sistema muy organizado y regulado, y en muchos sentidos, comparable con la complejidad de las sociedades modernas, con muchos matices y excepciones.

Capítulo 7 – La cultura de la China antigua

La cultura de los antiguos chinos tuvo un comienzo muy humilde, en cierto modo iba por detrás de los egipcios, mesopotámicos e incluso hindúes. Pero desde la dinastía Shang, comenzó a desarrollarse a un ritmo muy rápido y de una manera única. Hay que tener en cuenta que en ese momento China no tenía muchas conexiones con otras civilizaciones. Y se convirtió en una de las culturas más importantes de la historia mundial, influyendo en gran parte de Asia, así como en el resto del mundo. Gracias a ello, la cultura china es considerada hoy por muchos como una de las culturas más influyentes e importantes. Y sigue formando parte de los cimientos y modos de pensar establecidos en los tiempos antiguos.

En la mayoría de las primeras civilizaciones, las primeras formas de desarrollo cultural llegaron a través de la religión. Y a su vez, la religión influyó en las nuevas creaciones de intelectuales y artísticas. Los chinos no fueron una excepción. El chamanismo y la religión naturalista fueron las primeras corrientes que se formaron en los tiempos predinásticos, y que hoy son conocidas como religión popular china. Sus creencias fundamentales se basaban en la veneración de la naturaleza y el equilibrio, la adoración de las deidades, los espíritus y los antepasados, y la práctica de la adivinación y el exorcismo. Y estaban fundamentadas en varias historias y tradiciones mitológicas, como la que se relató al principio de esta guía sobre la creación del mundo. Los detalles exactos de estos mitos cambiaron con el tiempo y también variaron en función de la ubicación, pero se mantuvo un núcleo similar. Las creencias se expresaban, hasta cierto punto, a través de diversas ceremonias, tanto en templos y santuarios familiares, públicos y privados. Sin embargo, no había una institución eclesiástica unificada, por lo que los primeros reyes eran vistos como los chamanes supremos. Algunos de los conceptos básicos son el conocido yin y yang, que es el equilibrio entre la luz y la oscuridad, idealizando la armonía y el orden natural. También creían en el cielo, como se ve en la doctrina Mandato del Cielo, pero también en la vida natural, conocida como qi (o chi). Tenían numerosos dioses e inmortales, y también creían en fantasmas y demonios. A medida que la civilización china evolucionó, esta religión popular perdió su importancia vital. Pero siguió estando presente de la vida cotidiana de los plebeyos, incluso en los tiempos modernos. También influyó en el desarrollo posterior de pensamientos filosóficos, en las ideas de armonía y el respeto a antepasados y ancianos.

De este trasfondo religioso surgió la edad de oro de la filosofía china a finales del período de primavera y el otoño y los primeros períodos de los Reinos combatientes. Este movimiento fue conocido como las Cien Escuelas de Pensamiento debido a la gran cantidad de nuevas escuelas, enseñanzas y filosofías. Probablemente el más importante e influyente era el confucianismo, llamado así por su fundador Confucio (551-479 a. C.). Estaba cimentado en puntos de vista idealizados de las tradiciones religiosas y los valores de las antiguas dinastías Shang y Zhou, que Confucio creía perdidas en el caos de su época. Esta es la razón por la que algunas de las ideas básicas giraban en torno al altruismo, la piedad filial y el respeto de los antepasados, el conocimiento, la integridad y los rituales. La enseñanza confuciana afirma que los seres humanos son en esencia buenos y capaces de la perfección, centrándose en la superación personal, así como la mejora colectiva. En esencia, era una guía sobre cómo la sociedad debía trabajar para mantenerse en equilibrio, ya que era vista como un micro universo, y se hacía eco de las ideas del yin y el yang de la religión popular. Pero a pesar de tener algunos aspectos religiosos, como las ideas del cielo o la adoración a los dioses, se centró más en los valores humanísticos y familiares que en lo sobrenatural. Esta es la razón por la que a veces el confucianismo es considerado una filosofía y a veces una religión. Lo seguro es que porque dejó una influencia notable en la sociedad china. Tal vez lo más preciso sería clasificarlo como una forma de vida.

30. Fresco del período Han de Lao Tzu y Confucio.
Fuente: https://commons.wikimedia.org

En la misma época, se formuló el taoísmo (o daoísmo). Su creador fue el pensador semilegendario Lao Tzu (Laozi), que tradicionalmente se considera más o menos contemporáneo de Confucio. Era una filosofía más interna y religiosa, y como tal, en períodos posteriores de la historia china se convirtió en una religión. Contrariamente al confucianismo, se centró más en el crecimiento espiritual y físico que en el orden político y social. Albergaba las ideas de acciones no violentas, naturalidad, energía vital, inacción y relativismo. Estaba más arraigado en la visión metafísica del universo y los seres humanos, y predicaba el crecimiento personal a través de la meditación y prácticas espirituales similares. Por lo tanto, a menudo parecía más relajada y amable que el confucianismo estricto. Pero también se basó en las ideas de la religión popular y dejó una tremenda huella en la sociedad china. Los chinos forjaron el dicho "practica confucianismo en el exterior, taoísmo en el interior" en un intento de reconciliar estas dos importantes vistas del mundo.

En total oposición a estas dos corrientes surgió el legalismo, otra escuela de pensamiento filosófico que surgió durante el período de los Reinos combatientes. Esta ideología filosófica no tenía ningún fundador real, sino que era una combinación de ideas y pensamientos de varios funcionarios del gobierno cuya única preocupación era la política y el poder y a los que no les importaba mucho el equilibrio, la moral o el bienestar de un individuo. El enfoque de esta filosofía era un estado regulado, con un monarca en la parte superior que tenía la máxima autoridad, con énfasis en la acumulación de riqueza y poder. El principio básico para lograrlo eran leyes claras y castigos severos, razón por la cual se conoció como legalismo. Mientras que otras escuelas de pensamiento se centraban en la armonía universal, los legalistas se preocupaban por el orden terrenal, la seguridad y la estabilidad. Por lo tanto, esta antigua filosofía china se compara a menudo con el pensamiento realpolitik de los europeos. Además del principio del derecho, los legalistas también predicaron los métodos y las artes del gobierno, así como la legitimidad y el carisma. Otra idea destacada era el de un gobierno central más pequeño, bajo una guía más estricta del emperador. Y probablemente el ideal más importante fue la meritocracia para ocupar los puestos en la burocracia estatal. Pero como esta filosofía enfatizaba fuertemente el poder del soberano, condujo a un gobierno más dictatorial, y fue mucho menos popular después de la caída de la dinastía Qin. Sin embargo, fue influyente en el desarrollo del sistema gubernamental chino. Superpuesto parcialmente con el legalismo se encontraba el moísmo, fundado por Mozi (470-391 a. C.). También se ocupaba de la política y la estadidad, pero vista a través de la compasión imparcial. El único ideal que estas dos filosofías compartieron fue el sistema meritocrático del gobierno.

La idea central de esta escuela de pensamiento era el amor imparcial, ya que uno debía preocuparse por cada persona por igual, independientemente de la conexión personal real con el individuo en cuestión. Para los moístas, esta era la verdadera medida de un hombre justo. Además, veían la sociedad como un sistema organizado en el que se debía reducir la ineficiencia y el despilfarro. Y por ello promovieron la idea de que el valor moral de cualquier acción se medía en función a su contribución a la sociedad y al Estado. Otra idea importante fue su oposición al fatalismo y al papel del destino en la vida. El moísmo pensaba que esta forma de pensar traía pobreza y tristeza, ya que la gente se negaba a admitir sus propias deficiencias y errores. Pero a diferencia de otras escuelas filosóficas, los moístas también se ocupaban de las matemáticas y la ingeniería, que se centraban principalmente en resolver cuestiones de asedio y defensa. Una de sus subramas fue la Escuela de los Nombres, que se ocupaba de rompecabezas puramente lógicos, paradojas y enigmas intelectuales. Esto hizo que el moísmo fuera importante para los avances científicos y las innovaciones tecnológicas por las que los chinos eran famosos. Y fue un precursor de la filosofía del pensamiento científico.

Pero todas estas ideas y avances intelectuales logrados a través de la filosofía quedan ensombrecidos si se comparan con el desarrollo del sistema de escritura. Esto permitió una mejor comunicación y el intercambio de pensamientos, preservándolos de perderse en el tiempo. Los orígenes exactos del sistema de escritura chino aún se desconocen. Los primeros ejemplos verificados provienen de los huesos del oráculo del siglo XIII a. C. de la dinastía Shang, pero su complejidad en ese momento sugiere que la escritura se había desarrollado antes. Algunos hallazgos arqueológicos neolíticos ya contienen algunos caracteres. El primero está fechado alrededor del 6500 a. C. Aunque estos caracteres y marcas no son claramente escritura, algunos eruditos establecieron algunas conexiones con la formación de la escritura que se estaba desarrollando en la cuenca del río Amarillo. A partir del período Shang, se hace mucho más fácil seguir el desarrollo del sistema de escritura chino. En esa etapa, ya se había superado la escritura pictográfica, donde cada ideograma transmite su significado a través de su semejanza pictórica a un objeto físico. Y había evolucionado al logotipo gráfico en el que un ideograma representa una palabra o una frase. La siguiente etapa fueron los escritos de bronce y de sello, llamados así por los objetos y materiales más comunes con los que se imprimían y que datan del período de primavera y otoño y del de los Reinos combatientes. Este sistema evolucionó aún más hasta convertirse crear logotipos de mayor complejidad. Vale la pena notar que durante este período hubo múltiples variaciones locales. Antiguamente, los estudiosos pensaban que la siguiente etapa de la evolución de la escritura, conocida como escritura clerical, se desarrolló a partir del sello, pero los hallazgos recientes la conectan con la llamada escritura vulgar, o común.

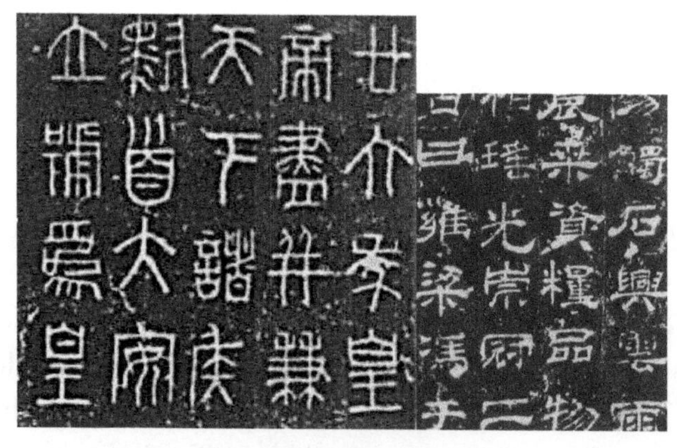

31. Ejemplos de escritura de sello (izquierda) y escritura clerical (derecha). Fuente: https://commons.wikimedia.org

La escritura proto clerical comenzó a surgir a finales del período de los Reinos combatientes en el estado de Qin, ya que necesitaba un sistema de escritura simplificado y más rápido para los documentos y otras necesidades burocráticas. Con la formación de una China unificada, el gobernante Qin estandarizó el sistema basado en la escritura clerical, que maduró completamente durante los primeros años de la dinastía Han. Y siguió siendo la escritura formal de la administración estatal, de ahí el nombre. Se considera la forma más antigua de escritura china y todavía es parcialmente legible hoy en día. Durante la dinastía Han, se formó el estilo de escritura cursiva que se utilizaba como forma de escritura rápida, y fue conocida como escritura de hierba. A finales del período Han, se formó una escritura regular, que fue la base para el sistema de escritura chino moderno. Muchas otras escrituras de Asia oriental evolucionaron a partir de ella, como por ejemplo el japonés, el coreano y el sistema vietnamita antiguo. Un hecho interesante sobre la escritura china es que, a pesar de no ser la primera en la historia, es la más antigua que se mantiene en uso hoy en día y presenta una línea ininterrumpida de evolución de al menos a 3.500 años. Es realmente difícil describir la verdadera importancia del desarrollo de la escritura. Permitió compartir ideas y pensamientos complejos, facilitar la comunicación y ayudó a difundir la influencia de la cultura china a las naciones y pueblos circundantes.

Sin embargo, la alfabetización no estaba muy extendida; como este sistema de escritura era bastante complicado de dominar, estaba limitado principalmente a las clases académicas superiores. Los miembros de la élite no lo usaban simplemente con fines utilitarios de administración y comercio. Crearon obras literarias de arte y compusieron poemas e historias. La mayoría de los primeros libros chinos de poesía eran solo canciones populares, pero pronto aparecieron autores originales, como Qu Yuan (c. 340-278 a. C.). Los poemas eran a menudo alegóricos y, de alguna manera, relacionados con la política y la moralidad, aunque en algunos casos simplemente podían describir la naturaleza o los paisajes. Por supuesto, también se escribieron muchas obras filosóficas, así como libros de historia y anales. Probablemente el autor más influyente en ese sentido fue

Sima Qian (c. 145-86 a. C.). Sus trabajos establecieron la historiografía profesional en China y también constituye la fuente principal para la mayor parte de la antigua historia china.

Las canciones y poemas también estaban conectados a la música, ya que muchos de ellos estaban destinados a ser interpretados acompañados de algún instrumento musical. Desafortunadamente, estas melodías se han perdido en el tiempo. Se sabe, a través de pinturas y hallazgos arqueológicos, que los antiguos chinos tenían una gran variedad de instrumentos como el guqin, un instrumento de cuerda de un tipo de cítara, el paixiao, una flauta de pan de bambú, y el dizi, una flauta de bambú común, así como campanas de bronce y tambores. En la época de la dinastía Shang, la música tenía un propósito ritual religioso, pero en períodos posteriores, se centró más en el entretenimiento. Sin embargo, la música ceremonial de la corte siempre fue importante a lo largo de la historia china. También vale la pena señalar que la música a menudo iba acompañada de bailes, que se pueden dividir en dos grupos principales. Uno era el civil, en el que los bailarines llevaban plumas y estandartes, y el otro era un baile militar con armas agitándose. Estos también tenían un propósito ritual y de entretenimiento.

32. Fresco del período Han representando a un músico y un bailarín.
Fuente: https://commons.wikimedia.org

La religión también se representaba en las antiguas esculturas chinas. Los primeros recipientes de bronce fueron creados principalmente para ser utilizados en rituales. Se decoraban con intrincadas composiciones zoomórficas y patrones complicados, y evitaban la forma humana, que fue predominante en períodos posteriores. Las esculturas y tallas de jade también jugaron un papel importante, ya que era uno de los materiales más populares y codiciados en China. Estaba conectado con la salud y la inmortalidad, y a menudo se utilizaba para objetos funerarios. Incluso hoy en día, el jade se asocia comúnmente con la cultura china. Con el paso del tiempo, la habilidad de los artesanos chinos creció, al igual que la calidad de sus figuras y esculturas. En períodos posteriores, la arcilla también se utilizó para esculpir, y el mejor ejemplo de esto es con los Guerreros de terracota encontrados en la primera tumba del emperador.

33. Sitio arqueológico de los Guerreros de terracota.
Fuente: https://commons.wikimedia.org

Se trata de una colección de cerca de 8.000 esculturas de tamaño natural de guerreros de todos los rangos que supuestamente acompañarían al emperador fallecido en su vida después de la muerte. Todos fueron esculpidos con su armadura puesta, y las características dependían de su rango y tipo de unidad. Y todos ellos estaban armados con armas de bronce reales, pero la mayoría de ellos fueron saqueados antes de que los arqueólogos encontraran la tumba. También había esculturas de caballos y carros. El conjunto conseguía un alto nivel de realismo en la representación del antiguo ejército chino, con la capa final de colores brillantes que una vez adornaron a los soldados. Desafortunadamente, ese toque final se ha degradado con el tiempo, dejándonos hoy con esculturas de color terracota. Esta magnífica obra de arte ha cautivado la imaginación de muchas generaciones, mostrando cuán capaces eran los artistas y artesanos de la primera China imperial. Otro tipo de cerámica, por la que los chinos son mucho más famosos, es la porcelana. Comenzó a surgir durante el período de primavera y otoño, pero la verdadera porcelana, tal como la conocemos hoy en día, se creó solo durante la dinastía Han. Las mejores piezas de porcelana estaban reservadas para el emperador y la élite, con decoraciones lujosas y colores vivos. En aquel momento, a menudo se utilizaban como regalos diplomáticos y para los entierros, pero también como utensilios para el uso diario.

Las pinturas, por otro lado, solo se utilizaban como decoraciones. Las primeras pinturas decorativas en los recipientes de cerámica eran meros patrones y formas, pero desde el período de los Reinos combatientes en adelante, los artistas comenzaron a poner el foco en el mundo que los rodeaba. Un ejemplo de ello son los frescos, pintados en las tumbas y templos, que representan a los seres humanos realizando diversas actividades. A menudo eran escenas de triunfos o grandes logros del gobernante, generales u otros hombres prominentes. También se utilizaron para pintar otros objetos menos permanentes, como las pantallas plegables de seda o madera. En algunos casos, también se pintó cerámica. Y durante la dinastía Han que se encontraron los primeros ejemplos de paisajes en el arte chino. Este tipo de pinturas eran a menudo hechas por nobles, que tenían tiempo suficiente para practicar la pincelada fina necesaria para crear estas pinturas. La caligrafía artística también está relacionada con ellos. Sus trazas se pueden encontrar durante el período Han, cuando se formó la escritura cursiva. Esta habilidad era a menudo muy apreciada, ya que requería elegancia y paciencia, y junto con la pintura, era vista como las formas más puras del arte. Gracias a las pinturas, podemos ver otros detalles sobre el estilo de vida chino, como las túnicas de seda de colores brillantes hoy en día conocidas como hanfu. La seda y las pieles de alta calidad estaban reservadas para los nobles. Los plebeyos solían usar ropa hecha de cáñamo o lana.

Otra gran diferencia entre los plebeyos y la élite fueron las casas en las que vivían. Las casas de los plebeyos a menudo estaban hechas de barro y madera con un techo de paja. Eran comúnmente rectangulares y tenían pequeños patios interiores. Las casas del pueblo a veces estaban conectadas con los graneros para los animales de granja, que a menudo eran adyacentes a la casa principal. En algunos casos los pisos estaban cubiertos de arcilla o paja, pero por lo general eran simplemente pisos de tierra. Los nobles sin embargo vivían en lujosos palacios y villas, comúnmente hechas de ladrillos de arcilla y piedra, que eran mucho más duraderas y mejor aisladas, con techos y vigas de madera decorados. También eran bastante coloridos, con el amarillo reservado para los palacios imperiales. Los palacios eran generalmente complejos de varios edificios y también tenían patios interiores. Contrariamente a la mayoría de las culturas occidentales, los chinos ponen menos énfasis en la altura de sus edificios, centrándose más en la anchura para impresionar. Esta es la razón por la que las bóvedas y arcos, que no eran tan necesarios, no son una característica prominente de su arquitectura, a pesar de que existían en las tumbas y en las puertas de la ciudad. Otra característica importante de la arquitectura antigua china fue su uso de la simetría bilateral, lo que significa equilibrio y orden, algo vital para su cultura. Esto puede verse en los grandes jardines construidos por las élites, que creaban parques cerrados con bosques y estanques, y adornados con flores y pabellones. Construidos por primera vez durante la dinastía Shang, estos antiguos jardines chinos intentaron expresar la armonía que debería existir entre la naturaleza y los humanos mediante la elaboración de paisajes en miniatura idealizados. Curiosamente, la mayoría de las características arquitectónicas de la antigua civilización china sobrevivieron con pequeñas innovaciones hasta los tiempos modernos.

34. Modelo moderno de una antigua ciudad china.
Fuente: https://commons.wikimedia.org

Observando la cultura del antiguo pueblo chino, se pueden hacer dos afirmaciones. En primer lugar, es una civilización que evolucionó a partir de un origen religioso. Pasó de centrarse en los aspectos sobrenaturales y deístas, a preocuparse más por los seres humanos y la vida terrenal. Aunque la religión y la veneración ancestral nunca disminuyeron, se apoyó mucho menos de los dioses que las civilizaciones occidentales. Y, en segundo lugar, es obvio que la base de la civilización china fundada al final de la dinastía Han permanece hasta el día de hoy. La cultura china es tan sólida porque está arraigada en el pasado antiguo y en tradiciones establecidas hace más de 2.000 años. Esto demuestra la longevidad y la fuerza de la civilización china, y por eso es uno de las más importantes en la actualidad.

Capítulo 8 – Invenciones e innovaciones de la China antigua

Durante el período de la historia de la China antigua cubierto en esta guía, hemos comprobado que esta civilización pasó por algunos cambios significativos hasta convertirse en lo que hoy en día asociamos con China. Estos cambios regalaron al mundo algunas de las invenciones e innovaciones más notables. Algunas fueron tan importantes que cambiaron el mundo, mientras que otras muestran una visión interesante de cómo los pensadores de épocas pasadas pensaban y resolvían problemas. Debido a esto, en este capítulo vamos a repasar algunos de los avances logrados por los chinos durante este tiempo. De esa manera iluminaremos otra parte de su civilización y demostraremos una vez más la razón por la que fue una civilización tan influyente e importante para la historia mundial.

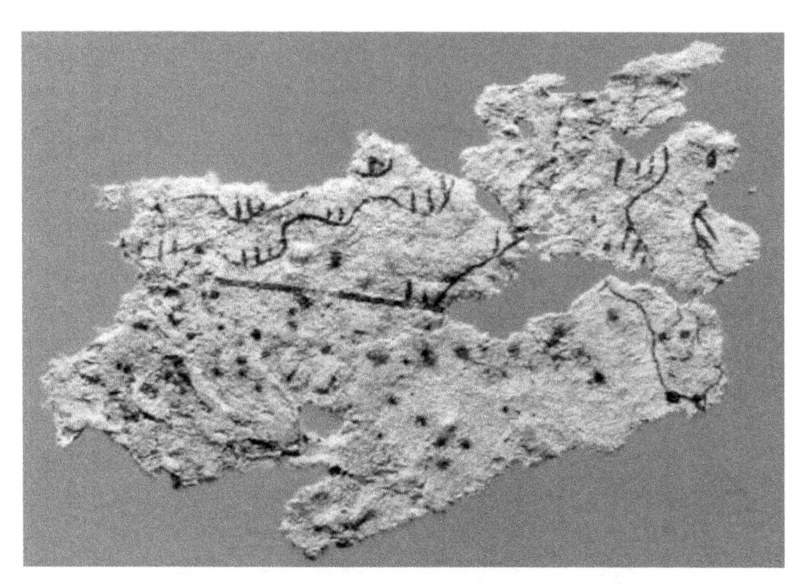

35. El fragmento de papel más antiguo, del 179 a. C.
Fuente: https://commons.wikimedia.org

Lo más apropiado es comenzar con la que fue probablemente la invención más importante e influyente que los antiguos chinos dieron al mundo: el papel. Hoy puede que no parezca una innovación tan relevante, pero en realidad transformó el mundo al facilitar la difusión de la palabra escrita, acelerando así la difusión de ideas y conocimientos. Antes de su existencia, en China se utilizaban rollos de papel de tiras de bambú o seda. El bambú era voluminoso e incómodo para llevar y almacenar, mientras que la seda era simplemente demasiado cara para el uso común. En el resto del mundo, usaban papiro, tabletas de arcilla o pergamino para escribir, pero todos tenían inconvenientes similares. Pero durante la dinastía Han, según el mito, un funcionario de la corte que miraba a las avispas construyendo su nido se inspiró para crear papel a partir de la corteza de los árboles, trapos de tela, redes de pesca y restos de cáñamo. Y de acuerdo con esta historia, este invento se produjo alrededor del 105 d. C. Pero los hallazgos arqueológicos llegan hasta el siglo II a. C. La primera evidencia del uso para escribir en papel data del 8 a. C. Era material ligero y barato, fácil de usar para el uso diario. Originalmente, parece que se utilizó para envolver y rellenar espejos de bronce. Desafortunadamente, la dinastía Han no sobrevivió lo suficiente como para ver la verdadera explosión de papel utilizado como material de escritura. Esto supondría el paso crucial para revolucionar la comunicación.

En los capítulos anteriores se explicaba que los chinos dominaron la fundición del metal de desde el principio. El hierro fundido más antiguo conocido fue encontrado en China ya en el siglo V a. C. Pero con la dinastía Han, los chinos perfeccionaron su tecnología y técnicas de fundición de metal. Primero utilizaron altos hornos para fundir mineral de hierro en arrabio no purificado. Luego usaron hornos de bóveda para volver a fundir el arrabio en hierro fundido purificado. Para poner este avance en perspectiva, los hornos de bóveda modernos se inventaron en la Francia del siglo XVIII. Hacia el año 300 a. C., descubrieron que, a través del proceso de descarburación, o mediante la introducción de grandes cantidades de aire en los hornos, podían producir hierro forjado de mayor calidad. En realidad, era hierro forjado que se utilizaba para armas y herramientas. El bronce quedó finalmente obsoleto. Durante el siglo II a. C., también se dieron cuenta de que al combinar el hierro fundido y forjado podían crear acero, una aleación metálica más útil y duradera. Para ello, utilizaron forjas finas y el llamado proceso de pudelado, con el que agitaban el metal fundido con varillas. Ambas técnicas fueron usadas más de mil años antes de los europeos, a pesar de que el acero era conocido desde la época romana. Su ingenio fue más allá y aprovecharon la energía del agua a través de reciprocadores alimentados con agua para hacer funcionar el fuelle en los hornos, reduciendo así la necesidad de mano de obra dura en el proceso de fabricación de metales.

Pero se necesitaban otras dos invenciones para que esa tecnología se implementara. La primera, y posiblemente más importante, fue la rueda de agua. No fueron los primeros en inventarla, ya que probablemente los antiguos egipcios la emplearan, pero los chinos la desarrollaron por su cuenta. Las primeras ruedas de agua de la dinastía Han eran horizontales. Además de ser utilizadas en la industria del metal, también se usaron en la agricultura. A partir de los morteros, los antiguos chinos desarrollaron martillos propulsados por agua que utilizaban para golpear y pulir granos. La energía hidráulica también fue aprovechada recolectar de las bombas de cadena conectadas a la rueda de agua, que se utilizaban para impulsar el agua a los canales de riego. Este sistema también fue adaptado para bombear el agua a través de un sistema de tuberías de gres del palacio imperial y las viviendas de los nobles, creando, en esencia, un antiguo sistema de fontanería. Pero la rueda de agua no era el único invento necesario para hacer un reciprocador alimentado por agua. También necesitaban una transmisión por correa, que fue creado durante el siglo I a. C. Con este sistema se utilizaban correas para conectar dos ejes giratorios que transmitían potencia. El primer uso registrado de una transmisión por correa fue en los dispositivos que se utilizaban para enrollar fibras de seda en bobinas. Se utilizó para conectar los ejes de la rueda de agua con el fuelle.

El ingenio mecánico de los antiguos chinos no se detuvo allí. Las primeras manivelas que se descubrieron en China datan del siglo II a. C y se utilizaban para activar los ventiladores de una máquina que separaba la paja del grano. En períodos posteriores, esta tecnología fue adaptada para otros usos. Los antiguos ingenieros chinos también desarrollaron este engranaje ya en el siglo IV a. C. Ambos estaban hechos de madera, pero también de bronce fundido y metal. Sus aplicaciones fueron numerosas. Por ejemplo, transmitía la potencia hidráulica del agua a creaciones mecánicas como el carro cuentakilómetros, que medía las distancias cubiertas gracias a un complejo sistema de engranajes impulsados por la rotación de las ruedas. La inventiva china y la comprensión de la naturaleza también se pueden ver en la invención del primer sismógrafo que mostraba la dirección de los terremotos. El mecanismo era un péndulo dentro de un recipiente de bronce que se balanceaba mientras la tierra temblaba, golpeando uno de los ocho lados que representaban las principales direcciones de la tierra. El mecanismo de manivela liberaba entonces una bola de metal que caía provocando un fuerte ruido. Esto alertaba a las personas que se encontraban cercana de que ocurriría un terremoto. Su observación de la naturaleza también se puede ver en sus primeras brújulas de piedra de imán, un mineral naturalmente magnetizado que cuando se suspende libremente apunta a los polos magnéticos de la Tierra. Este mecanismo no se utilizó para la navegación hasta pasados diez siglos; en su lugar, se empleó para la geomancia y la adivinación.

36. Molde para engranaje de bronce de la dinastía Han.
Fuente: https://commons.wikimedia.org

A pesar de que los chinos antiguos estaban firmemente arraigados en las prácticas religiosas y filosóficas, también hicieron varios avances en la medicina, ya que la relacionaban con las ideas de la fuerza de la vida, el equilibrio y la armonía. Los médicos chinos se dieron cuenta de que la planta de efedra, que contiene efedrina, podía utilizarse como un antiasmático y estimulante. Practicaron tratamientos dietéticos y prescribieron ejercicios preventivos, similares al Tai Chi actual. Y es durante estos tiempos antiguos cuando se desarrolló la práctica de la acupuntura. Los médicos eran unos observadores entusiastas, y eran capaces de reconocer y describir los síntomas de la lepra y la diabetes, aunque no tenían una cura adecuada para estas enfermedades.

Pero los médicos no eran los únicos profesionales competentes en la observación de los fenómenos naturales. A finales del siglo II d. C., los astrónomos chinos habían catalogado más de 2.500 estrellas y 120 constelaciones. Para representarlas y ayudar con los cálculos calendáricos, habían construido una esfera armilar (astrolabio esférico) durante el siglo I a. C., más o menos al mismo tiempo que lo hacían los occidentales. Más tarde estas esferas chinas fueron automatizadas con energía hidráulica. Los astrónomos chinos fueron quienes observaron la primera mancha solar mediados del siglo IV a. C. En la época de la dinastía Han, teorizaban con que la luz provenía solo del Sol y que la Luna y los planetas solo reflejaban esa luz. Y como muchas otras civilizaciones antiguas, solo conocían la existencia de cinco planetas: Marte, Júpiter, Venus, Saturno y Mercurio. Todos ellos eran visibles a simple vista. También creían que el Sol, la Luna y los planetas eran en realidad bolas esféricas, a pesar de que seguían apoyando la idea de un universo geocéntrico.

Los antiguos chinos también se preocuparon en la tierra bajo las estrellas. El mapa más antiguo data del siglo IV a. C., y muestra los sistemas fluviales afluentes del río Jialing en la actual Sichuan, junto con condados administrativos, carreteras, sitios de recolección de madera y las distancias entre lugares. Posiblemente es el mapa económico más antiguo encontrado hasta ahora. También escribieron libros con información geográfica en los que describían las nueve provincias tradicionales, sus bienes característicos, el tipo de suelo y los sistemas agrícolas, e incluso sus ingresos. El libro más antiguo de este tipo data del siglo V a. C. Durante el gobierno de la dinastía Han, la cartografía se desarrolló aún más, y los mapas chinos se volvieron más detallados y precisos. Los cartógrafos también comenzaron a crear mapas en relieve. Se observa un cambio interesante en la evolución de los mapas Qin, que colocaban el Norte en la parte superior, mientras que los cartógrafos Han fijaban el Sur en la parte superior.

Y profundizando aún más en la tierra, los chinos además fueron pioneros en las técnicas mineras de perforación de pozos. El taladro era girado por animales de tiro, mientras que varios hombres saltaban sobre él para crear un eje estrecho que al parecer podría alcanzar profundidades de hasta 600 metros (2.000 pies). Se acostumbraban más a menudo a la extracción de salmuera, una solución de alta concentración de sal en el agua. Para extraer la sal, hervían la salmuera. Según algunos hallazgos arqueológicos, mientras estaban extrayendo salmuera, se toparon con gas natural. Hacia el 500 a. C., encontraron una manera de usarlo, transportándolo desde el suelo en tuberías crudas de bambú, hirviéndolo en agua salada. Además de ser los primeros en utilizar el gas natural en el siglo I a. C., también habían encontrado y comenzado a utilizar petróleo crudo sin refinar.

Pero la observación y los usos prácticos no fueron los únicos campos científicos en los que los antiguos chinos sobresalieron. También lograron varios avances matemáticos impresionantes. En la era Shang, ya habían desarrollado aritmética básica, un sistema decimal y ecuaciones. Los historiadores no están seguros de si también adoptaron el concepto de los números negativos en ese momento, pero seguramente lo hicieron a partir de la dinastía Han. Así, mientras que la mayor parte del mundo helenístico y romano consideró los números negativos como un resultado inválido, los chinos lo vieron como una solución viable, ya que representaba una dualidad similar a su idea de yin y yang. Al final de la dinastía Han, los matemáticos chinos también habían calculado el número pi (3.14) y crearon su propio teorema de Pitágoras conocido como teorema de Gougu, lo que significa que también comprendían las ideas del cubo al cuadrado y la raíz cuadrada. Además de ser la primera civilización en adoptar la idea de números negativos, también dejaron la evidencia más temprana de una fracción decimal en el siglo I d. C. El logro más desarrollado de las antiguas matemáticas chinas fue la eliminación gaussiana (reducción de filas), un algoritmo utilizado para resolver ecuaciones lineales a finales del siglo II d. C. Esto se logró en Europa solo a principios del siglo XVIII. A partir de los libros de texto matemáticos escritos durante el gobierno Han, se puede saber desarrollaron sus matemáticas primero como una necesidad de comercio. Luego las mejoraron para cubrir las necesidades del estado, calcular impuestos y superficies de parcelas, así como para la división del trabajo y otras tareas administrativas. Durante los últimos años del gobierno Han las matemáticas avanzaron lo suficiente como para concentrarse más en resolver únicamente problemas teóricos.

37. Modelo de fundíbulo de tracción del período de los Reinos combatientes. Fuente: https://commons.wikimedia.org

Menos teóricos y más prácticos fueron los avances e invenciones chinas en equipos militares. El invento más notable fue, por supuesto, la ballesta. La evidencia arqueológica más antigua está fechada a mediados del siglo VII a. C. Las ballestas seguían siendo el arma más valorada entre los antiguos chinos. En épocas posteriores del período de los Reinos combatientes, las ballestas fueron ampliadas y montadas en torres de pared, y utilizadas tanto para el ataque como para la defensa. Y el diseño de la ballesta se volvió más sofisticado con el tiempo, con mecanismos más precisos y fuertes, además de ser más ligera y fácil de usar. Desde el siglo V a. C., los chinos también usaban vagones de guerra en el campo de batalla, que servía como carro blindado móvil para proteger a los soldados. La mayoría de las veces se utilizaban durante los asedios para proteger de los proyectiles a los arqueros o a los excavadores del túnel. En el siglo IV a. C., se creó el fundíbulo de tracción, también conocido como mangonel, que utilizaba mano de obra para lanzar grandes trozos de piedra a las defensas de una ciudad con alta precisión y cadencia de fuego. Los primeros relatos de las artes marciales aparecen en los libros de texto militares durante el período de primavera y otoño. Se trata de un sistema de combate mano a mano que incluye técnicas como golpes, manipulación de articulaciones, ataques de puntos de presión y lanzamientos. Desde sus comienzos, las famosas artes marciales chinas se desarrollaron hasta convertirse en una de las firmas reconocibles de su civilización.

Otras innovaciones hechas por los antiguos chinos fueron más culturales que otra cosa, pero también fueron representativas de su civilización y de sus relaciones con otras culturas. Probablemente la más icónica e influyente fue la creación de los palillos. Los primeros encontrados datan de alrededor del 1200 a. C., y estaban hechos de bronce. Pero los estudiosos piensan que fueron inventados mucho antes, durante la mítica dinastía Xia o incluso en los tiempos neolíticos. Su uso se extendió por Asia oriental y ahora están irreversiblemente relacionados con nuestra noción de cocina asiática. Otro invento relacionado con la cocina china son los woks y los salteados. Hay indicios de que se empezaron a utilizar en el período de primavera y otoño, pero el wok más antiguo encontrado data de la dinastía Han. Cabe señalar que la ebullición y el vapor siguieron siendo las formas más populares de preparar la comida en la cocina tradicional china hasta finales de la Edad Media. Otra innovación china que se extendió por todo el mundo es el té. Los chinos han estado bebiendo té desde la dinastía Shang, al principio como una bebida medicinal y ritualista, pero más tarde como una bebida estimulante. Otra novedad relacionada con los alimentos ideada por los antiguos chinos es la pasta y la salsa de soja. Creada por los chinos durante la dinastía Han, fue utilizada como una forma de alargar la duración de la sal, que era bastante cara. Los chinos antiguos también disfrutaban de los deportes, uno de ellos era el cuju, una variación china del fútbol (fútbol), que implicaba patear una pelota a través de un agujero en una red. Fue utilizado por primera vez como ejercicio militar en el siglo III a. C., pero durante la dinastía Han, se convirtió en el deporte de los nobles. A pesar de que acabó desapareciendo, hoy en día es reconocido por la FIFA como la primera forma de fútbol en la historia.

Hay muchas más invenciones, innovaciones y conocimientos con los que los antiguos chinos han influido en el mundo y en su desarrollo. Esto solo demuestra lo avanzada que estaba su civilización ya en el comienzo de la era imperial, donde ya había numerosos inventores que buscaban maneras de mejorar la vida de otras personas a su alrededor. Por lo tanto, esto viene a demostrar que la antigua noción occidental de que Europa es un centro de superioridad tecnológica y científica es un concepto erróneo creado en la época colonial europea. El período de los Reinos combatientes, junto con el gobierno de la dinastía Han, fue la primera oleada de saltos académicos y tecnológicos dados por el pueblo chino, y dejó invenciones que a menudo son considerado tecnología moderna. Y una vez más muestran por qué la civilización china es tan importante y por qué debe ser estudiada.

Conclusión

Observando la historia de la antigua China, se hacen evidentes varias cosas. Es una civilización que fue creada y dio sus primeros pasos en aislamiento, lejos de otras culturas. Esta es la razón por la que muchas de sus ideas y fundamentos parecen tan diferentes de la mayoría de los demás de la época. Sin embargo, viendo su desarrollo, queda claro que por muy diferente que nos parezca pasó por altibajos como cualquier otra civilización. Y ello demuestra que debajo de las capas de cultura e historia hay algo que nos conecta a todos: la humanidad. A pesar de lo lejos que crecen las civilizaciones y lo únicas que son, el espíritu humano es lo que las mueve. Y es por eso que la historia china también está llena de numerosos grandes hombres, generales, inventores y filósofos, así como conspiradores, tiranos y borrachos decadentes. En ese aspecto, la antigua civilización china no es una excepción.

Pero al mismo tiempo, gracias al camino único que tomó en su desarrollo, la civilización y la sociedad chinas siguen siendo sorprendentemente distintas de las culturas occidentales. Y esta diferencia es visible incluso hoy en día, ya que la raíz de la cultura china moderna se encuentra en los cimientos establecidos en tiempos antiguos. Pero diferente no debería significar peor o malo. Con solo leer esta breve guía introductoria, debe quedar claro que la antigua

China logró muchas hazañas. A escala política, conquistó vastas áreas y unió a decenas de millones de personas bajo una sola frontera y gobierno. Desde sus humildes comienzos, China se convirtió en un imperio fuerte y rico. Y los chinos lograron crear impresionantes obras de arte, reunir un conocimiento tremendo y construir muchos inventos maravillosos. Sus ideales eran la igualdad y el bienestar para todos, luchando por el equilibrio y la armonía. Considerando todo esto, se entiende mejor cómo y por qué la antigua China es tan influyente. Pero hay que aclarar una cosa: estos fueron solo los primeros pasos de la civilización china. Todavía estaba en su juventud. En esos primeros 2.000 años, experimentó muchos cambios y conmociones. Desde entonces, han pasado casi 2.000 años más, y esta cultura sigue siendo fuerte. Incluso está alcanzando de nuevo lentamente la cima y es considerado como el país más fuerte, más rico y tecnológicamente avanzado del mundo. Mirando su pasado, está en su lugar legítimo.

Al mismo tiempo, la historia antigua china nos recuerda que la civilización humana no se desarrolló desde un solo centro y no siguió una simple línea recta. Con demasiada frecuencia, el mundo occidental no tiene en consideración otras culturas y civilizaciones, pensando que sus historias son menos significativas. Pero es importante recordar que la humanidad es diversa y tiene muchas raíces. Cada civilización aporta algo a la humanidad e influye en el desarrollo de la civilización mundial global que tenemos hoy en día. Y una de estas raíces es la antigua China.

Al final, espero que esta guía haya despertado su interés para saber más sobre la antigua China y su civilización. Porque conocer y apreciar nuestro pasado colectivo es importante si queremos entendernos y comprender el presente, y si queremos desarrollar un futuro mejor juntos.

Breve cronología de la historia de la antigua China

c. 2070 a. C. - Se creó la dinastía mítica Xia.

c. 1600 a. C. - El ascenso de la dinastía Shang.

c. 1350 a. C. - Anyang se convierte en la capital de Shang, inicio de la edad de oro de Shang.

c. 1250 a. C. - Restos más antiguos de escritura china encontrados en huesos de oráculo.

1250 a 1192 a. C. - Reinado del rey Shang Wu Ding.

1046 a. C. - La gran batalla de Muye y el comienzo de la dinastía Zhou.

957 a. C. - Expansión Zhou detenida por la muerte del rey Zhao.

841 a. C. - Revuelta contra el gobierno Zhou y exilio del rey Li.

771 a. C. - La corte Zhou se mueve hacia el este y comienza el período de primavera y otoño.

Siglo VII a. C. - Invención de la ballesta.

667 a. C. - El duque Huán de Qi se convierte en el primer *hegemon* (líder absoulto).

551 a 479 a. C. - Vida y obras de Confucio.

546 a. C. - Los estados Jin, Chu, Qi y Qin organizan la tregua y dividen las esferas de influencia.

Siglo 5th a. C. - Invención de la tecnología de hierro fundido.

476 a. C. - Inicio del período de los Reinos combatientes.

470 a 391 a. C. - Vida y obra de Mozi.

458 a 403 a. C. - Partición de Jin.

344 a. C. - Los gobernantes de Qi y Wei se convierten en los primeros reyes fuera de la dinastía gobernante.

288 a. C. - Los gobernantes de Qi y Qin intentan proclamarse emperadores.

269 a. C. - Derrota de Qin y comienzo de las reformas del rey Zhao.

247 a. C. - Zhao Zheng se convierte en rey de Qin.

230 a 221 a. C. - Unificación final de China, el rey Zhao se convierte en Qin Shi Huangdi.

210 a. C. - Muerte de Qin Shi Huangdi.

206 a. C. - Caída de la dinastía Qin.

202 a. C. - Liu Bang se convierte en emperador Gaozu y comienza la dinastía Han.

Siglo II a. C. - Invención del papel.

180 a 157 a. C. - Reformas y gobierno del emperador Wen.

145 a 86 a. C. - Vida y trabajo de Sima Qian, estableciendo la historiografía china.

141 a 87 a. C. - Conquistas y expansión de China bajo el gobierno del emperador Wu.

9 CE - Golpe de Estado de Wang Mange para intentar establecer una nueva dinastía.

22 CE - Levantamiento campesino en el antiguo estado de Qin.

25 CE - Restauración de la dinastía Han y traslado de la capital hacia el este.

57 a 88 CE - Gobiernos de los emperadores Ming y Zhang, edad de oro de la dinastía Han.

125 a 144 CE - Desarrollo de la educación y la ciencia bajo el emperador Shun.

161 CE - El emperador Huan comienza a vender oficinas administrativas, debilitando y corrompiendo al gobierno.

184 CE - Comienza la rebelión de los Turbantes amarillos, dirigida por un predicador taoísta.

189 a 220 CE - Reinado del emperador Xian y la caída de la dinastía Han.

Bibliografía

Chey, O.S., *China Condensed: 5000 Years of History and Culture*, Marshall Cavendish Ediciones 2008.

Clunas, Craig, *Art in China*, Oxford University Press 1997.

Dawei, C. and Yanjing S., *China's History*, Cengage Learning 2011.

Ebrey, Patricia B., *Chinese Civilization: A Sourcebook*, The free press 1993.

Fairbank, J.F. and Goldman M., *China: A New History*, Harvard University Press 2006.

Gernet Jacques, *A History of Chinese Civilization*, Cambridge University Press 1996.

Giles, H.A., *Religions of Ancient China*, Blackmask Online 2000.

Greenberger, Robert, *The Technology of Ancient China*. Rosen Publishing Group 2006.

Hinsch, Bret, *Women in Imperial China*, Rowman & Littlefield Publishers 2002.

Keay, John, *China: A History*, Harper Press 2009.

Keightley, D.N., *Origins of Chinese Civilization*, University of California press 1993.

Kinney, A.B. and Hardy G., *The Establishment of the Han Empire and Imperial China,* Greenwood Press 2005.

Loewe, M. and Shaughnessy E.L., *The Cambridge History of Ancient China,* Cambridge University Press 1999.

Morton, W.S. and Lewis C.M., *China: Its History and Culture,* McGraw-Hill 2005.

Pletcher, Kenneth, *The History of China,* Britannica Educational Publishing 2011.

Twitchett, D. and Fairbank J.F., *The Cambridge History of China: Vol. 1,* Cambridge University Press 1986.

Watson, W., *The Arts of China to AD 1900,* Yale University Press 1995.

Xueqin, L., *Eastern Zhou and Qin Civilizations,* Yale University Press 1985.

Vea más libros escritos por Captivating History

Milton Keynes UK
Ingram Content Group UK Ltd.
UKHW021025170524
442783UK00006B/76